LES 100 MEILLEURS VINS À MOINS DE 25$

Les 100 meilleurs vins à moins de 25$ – Guide Aubry 2016

Édition : Lison Lescarbeau
Révision : Dominique Stengelin
Correction d'épreuves et indexation : Jacinthe Lesage
Recherche : Andrée Hamelin
Conception graphique, mise en pages et adaptation de la couverture : Ann-Sophie Caouette
Infographie : Chantal Landry
Conception graphique originale de la couverture : Dorian Danielsen
Photos : Pierre Longtin
Autres photos intérieures : gracieuseté des distributeurs et de la SAQ
Photos des portraits : Jean Aubry
Photo de Jean Aubry : Eva Blue

5800, rue Saint-Denis, bureau 900
Montréal (Québec) H2S 3L5 Canada
Téléphone : 514 273-1066
Télécopieur : 514 276-0324 ou 1 800 814-0324
www.tcmedialivres.com

ISBN 978-2-89743-096-2

Dépôt légal : 4e trimestre 2015
Bibliothèque et Archives nationales du Québec
Bibliothèque et Archives Canada

Imprimé au Canada

1 2 3 4 5 ITIB 19 18 17 16 15

Nous reconnaissons l'aide financière du gouvernement du Canada par l'entremise du Fonds du livre du Canada (FLC) pour nos activités d'édition.

Gouvernement du Québec – Programme de crédit d'impôt pour l'édition de livres – Gestion SODEC.

GUIDE AUBRY 2016

MAINTENANT 100 % VISUEL

Jean Aubry

LES 100 MEILLEURS VINS À MOINS DE 25$

Les Éditions Transcontinental

CONCOURS

Remplissez ce coupon et envoyez-le par la poste avant le 31 mars 2016 à :
Concours Guide Aubry 2016
Les Éditions Transcontinental,
une marque des Éditions Caractère Inc.
5800, rue Saint-Denis, bureau 900
Montréal (Québec) H2S 3L5

NOM PRÉNOM

ADRESSE

VILLE

PROVINCE CODE POSTAL

TÉLÉPHONE

COURRIEL

Répondez à la question suivante (obligatoire) :
Nommez l'un des 10 points d'excitation 2016 de Jean Aubry.

Tous les coupons de participation doivent nous parvenir au plus tard le jeudi 31 mars 2016 à minuit, le cachet de la poste en faisant foi. Le tirage au sort aura lieu le vendredi 8 avril 2016 dans les bureaux des Éditions Caractère Inc. Les cinq gagnants seront avisés par téléphone ou par courriel. Valeur totale des prix offerts : 6480 $. Le concours est ouvert aux résidents légaux du Québec âgés de 18 ans et plus. Les employés de TC Transcontinental et leur famille ne sont pas admissibles au concours. Un fac-similé par personne accepté. Aucun achat requis. Règlements complets disponibles sur demande à l'adresse du concours (mentionnez « Demande de règlements » sur l'enveloppe).

PREMIER PRIX

Un magnifique cellier Classika de Cavavin, capacité de 149 bouteilles, d'une valeur de 1 989 $ rempli de la sélection 2016 complète des ***100 meilleurs vins !***

- Modèle noir et inox encastrable
- Tablettes coulissantes en bois haut de gamme
- Commandes numériques tactiles
- Hygrométrie stabilisée
- Porte vitrée double traitée anti-UV
- Éclairage basse émissivité (LED)
- Dégivrage automatique
- Verrouillage de sécurité

DEUXIÈME PRIX

LA SÉLECTION 2016 COMPLÈTE DES 100 MEILLEURS VINS

TROISIÈME, QUATRIÈME ET CINQUIÈME PRIX

Chacun des gagnants recevra les 10 points d'excitation 2016 de JEAN AUBRY

À Anne-Claude Leflaive et Joseph Henriot qui, à mes yeux, représentent exigence et raffinement.

C'est bête tout de même. Alors qu'avril voit poindre le débourrement à la vigne, une femme et un homme décident sans se consulter de nous quitter le même mois, tout en nous livrant le fruit d'une expérience de vie. Anne-Claude Leflaive de la maison éponyme à Puligny-Montrachet et Joseph Henriot, champenois dans l'âme mais aussi bourguignon de cœur de chez Bouchard Père & Fils à Beaune, William Fèvre à Chablis et Villa Ponciago à Fleurie en Beaujolais laissent à son sort une vendange 2015 que leurs équipes livrent déjà avec toute la minutie et le raffinement dont ils étaient les discrets et exigeants ambassadeurs.

La vigne, le vin, la vie et nous, se souviendront de vous.

Si l'on est seul dans ses décisions finales, un guide ne se fait cependant jamais tout à fait seul sur le plan de la mécanique interne. Et c'est bien pourquoi je tiens à souligner mon admiration pour ma compagne, Lesley Chesterman, qui, lors de séances de dégustation à l'aveugle, n'a cessé de me remettre en question tout en me piégeant affectueusement, cela, avec cette intégrité que je lui connais.

TABLE DES MATIÈRES

ÉDITO 2016

LE VIN COMME UN ACCENT. Que son accent soit grave, aigu ou circonflexe, brave, tendu ou «circomplexe», le vin déroute, intrigue, questionne. Il en a toujours été ainsi, bien avant que la raison ne prenne le pas sur les sens. Selon votre humeur, vous voilà l'écoutant... à moins que, bu à grandes lampées ou siroté solennellement la bouche en cul de poule, ce ne soit lui qui se saisisse de vous. Commence alors une complicité si naturelle qu'elle efface tout sens unique: le vin devient vous et vous devenez un peu comme lui.

Cette théorie des vases communicants pourrait paraître simpliste, un caprice d'alchimiste du dimanche mais, pour bien communiquer justement, il faut du doigté, de l'écoute, une ouverture d'esprit et d'oreilles, dont les pavillons, à défaut de battre au vent, vibrent à la fréquence des nationalités et plus encore à celle des nombreuses inflexions locales qui les colorent.

Vin chilien, français, italien ou portugais. Vin canadien, espagnol, allemand ou américain. Vin argentin, hongrois, suisse ou autrichien. Vin du bout du monde ou vin du bout du nez. Chaque différence, chaque singularité l'enrichit. En cela, le vin est une formidable mappemonde!

Aujourd'hui, est-ce toujours le cas? Pas si sûr. J'ai parfois l'impression que les tonalités et les identités régionales s'effacent. Un «multiculturalisme» du vin semble prendre le pas sur les saveurs locales, ces révélateurs de terroirs et de savoir-faire ancestraux.

Force m'est de constater que ce qui permettait de trancher entre un vin du Nouveau Monde et un autre dit «des Vieux Pays» ou ce qui imprimait une différence appuyée entre les divers vins s'amenuise et se dilue désormais. Lent glissement de la diversité vers un discours unique, homogène, sans relief particulier. La faute aux *flyingwinemakers*? Il ne faudrait quand même pas tout leur mettre sur le dos.

Les 12 dernières années passées à rédiger ce guide m'ont fait prendre conscience de cette nouvelle réalité. Les dégustations à l'aveugle m'ont mis la puce à l'oreille. Aussi, cet amenuisement s'accélère à cause de la mode innommable qui consiste à laisser dans les vins, blancs comme rouges, des sucres résiduels qui ajoutent une couche de maquillage, étouffant à jamais leurs particularités.

Cette 12e édition des « 100 meilleurs vins à moins de 25 $ » se fait un point d'honneur de dénicher des accents forts en gueule ou doux, souvent originaux, parfois intimistes, toujours vrais, qui heureusement existent encore, pour mieux vous les faire entendre. Je préfère leur joyeuse cacophonie au discours linéaire et ronflant des vins qui roupillent sous le couvert lénifiant d'une rectitude devenue trop technologique.

Sur ce, santé par le vin!

COMMENT UTILISER CE GUIDE

LA MÉMOIRE DU VIN. Je crois que la dégustation d'un vin fait avant tout appel à la mémoire et, plus précisément, à la mémoire «historique» de chacun. Nous sommes tous bénéficiaires d'une mémoire personnelle sans cesse réactualisée par nos expériences sensorielles quotidiennes. Ainsi, il n'y a pas «une» mémoire, mais «des» mémoires toutes aussi sélectives les unes que les autres. C'est bien pourquoi la dégustation avivée par nos sens devient littéralement un geyser d'où jaillissent mille sensations qui relèvent essentiellement de notre mémoire olfactive et cognitive. La vôtre est différente de la mienne, et elle est aussi pertinente! Heureusement, car des affinités, des parentés, des associations ou des accords de goûts et de styles émergent parfois, faisant concorder vos «souvenirs» à ceux du «critique». Cette filiation n'est pas rare. On se range souvent derrière une «autorité» dont on reconnaît la fiabilité et avec laquelle on partage expériences et points de vue. Plusieurs lecteurs me soulignent par ailleurs que les vins dont je parle sont souvent ceux qui les touchent, et c'est pour cette raison qu'ils m'adoptent à titre d'échanson privilégié, voire de guide.

J'AIME LE MOT GUIDE. Sans prétention aucune, j'accepte avec humilité ce rôle. Ce terme confirme l'orientation que j'ai choisie et s'accorde à la fois à mon regard d'expert et à mon approche de l'histoire, celle du vin. Par exemple, lorsque vous lisez: «le Santa Cristina 2013 de la maison italienne Antinori (17,80 $ – 11315411) offre un condensé de la belle campagne toscane avec son fruité plein, souple, coulant, ensoleillé et diablement charmeur», vous saisissez l'essence du vin, car votre imagination et votre mémoire vous font déjà planer sous le soleil estival d'une trattoria servant des antipasti à se rouler par terre. La notation de ★★✫ (deux étoiles et demie) symbolise et synthétise la description que je donne de ce vin. Ces petites étoiles orientent subtilement le lecteur.

LA LIBERTÉ DE GOÛT. Imposer son opinion en matière de goût, c'est déjà brimer celle de l'autre. Où se termine ma liberté de dire et où commence la vôtre, celle de goûter et d'apprécier ? La liberté du goût doit primer sur tout, puisque le goût est tout simplement arbitraire. «Tous les goûts sont dans ma nature», chantait Jacques Dutronc. *Dis-moi ce que tu goûtes et je te dirai qui tu es*, entend-on dire. Il y a là déjà un choix, une orientation, une spécificité en matière de goût personnel qui distingue chacun par rapport aux autres. La dégustation d'un vin met seulement un peu d'ordre dans la démarche, sans toutefois être scientifique, en tentant de proposer un langage balisé, commun à tous. La dégustation est une invitation qu'on se fait à soi-même pour découvrir sa propre liberté en matière de goût.

LA CRITIQUE. «Sans la liberté de blâmer, il n'est point d'éloge flatteur.» J'ajouterais : Sans la liberté de relativiser, il n'est de vérité qui vaille ! Cette citation de Beaumarchais aurait-elle pu être transposée dans le milieu si insaisissable de la critique des vins ? Il m'est arrivé d'essuyer les plâtres de certaines agences promotionnelles de vins et même de producteurs en désaccord avec mes critiques. L'important est que la critique suscite des débats qui permettent sans nul doute de faire avancer les choses. Si une certaine presse du vin va même jusqu'à donner des leçons aux vignerons sur leur façon d'élaborer leur vin, pratique que je considère comme totalement déplacée par ailleurs, je crois fermement qu'à chacun son métier : eux, producteurs, moi, critique.

TAILLER SA PLACE. La qualité première du vin constitue le critère d'évaluation de base. Tous les vins sont réévalués chaque année, et rien ne garantit que ceux qui ont été sélectionnés dans une édition antérieure se retrouveront dans une version subséquente. Le vin est franc, droit, loyal, à prix honnête et... inspiré? Il se taille une place dans ce guide. Qu'il soit modeste ou de prestigieuse lignée, simple vin de pays ou d'illustre terroir, un critère essentiel retient mon attention: celui de l'équilibre. Une notion qui coiffe toutes les autres.

J'ai donc privilégié l'harmonie et la complémentarité de produits susceptibles d'agrémenter et de diversifier le plaisir du vin, quelles que soient votre humeur et la saison de l'année. Parce qu'il est ouvert à tous les produits, ce guide donne la chance à tous les coureurs, même si pour certains d'entre eux j'ai moins d'affinités. Peut-être en aurez-vous avec eux. Ne serait-ce que pour cette raison, il me faut être équitable. Les prix, scrupuleusement vérifiés au moment de la publication, peuvent néanmoins varier en cours d'année.

LA SÉLECTION. Les échantillons ont été retenus à la suite d'une sélection draconienne parmi l'éventail proposé autant par les agences promotionnelles que je salue au passage pour leur collaboration, et ce, année après année, mais aussi parmi ces arrivages ponctuels que je me procure en succursale, tout au long de l'année. Bien sûr, il se pourrait qu'il manque à ce guide de précieux candidats. L'offre généreuse de la SAQ ou les plus récents arrivages peuvent justifier ces oublis.

DEUX FOIS PLUTÔT QU'UNE. Également, les millésimes dans ce guide pouvant changer durant l'année, je me suis assuré de déguster celui qui était encore en succursale ainsi que son successeur, quand cela était possible. Les deux millésimes, vous l'aurez compris, doivent obligatoirement se démarquer pour avoir droit de cité dans la présente édition. À noter que, depuis trois ans maintenant, le monopole n'affiche plus le millésime actuel des produits courants sur son site saq.com. Serait-ce qu'ils n'ont plus aucune importance pour notre société d'État ?

LA STRUCTURE DU LIVRE. Outre ma compilation annuelle des 100 meilleurs vins blancs et rouges à moins de 25 $ qui est toujours accompagnée d'une autre suggestion au cas où vous auriez aimé le vin en question, il y a encore et toujours les « top 10 » qui, à leur tour, ciblent, dans des catégories précises, des choix heureux pour tous les goûts et toutes les bourses. Ces sélections vous assurent d'accéder rapidement à la crème des produits disponibles toute l'année. Notez que, généralement, un accord gourmand complète la description des produits.

LA NOTATION. J'opte pour une formule de notation « dans l'absolu », à l'instar de ma chronique hebdomadaire dans le quotidien *Le Devoir*. Le vin est alors noté hors de sa catégorie pour embrasser plutôt l'ensemble de ce que propose la planète vin en matière de produits. Par exemple, un vin peu nuancé, qu'il s'agisse d'un muscadet ou d'un bourgogne, sera toujours noté moindre qu'un autre affichant complexité et longueur. Qu'il soit de Loire, de Bourgogne ou d'ailleurs.

Certains optent pour la notation à l'aide de chiffres (sur 100 points, par exemple). Je préfère celle avec un système d'étoiles qui m'a été enseignée à l'Institut d'œnologie de Bordeaux en 1986. Cette évaluation somme toute relative ne devrait en aucun cas constituer une finalité. Un vin, par sa nature éphémère même, ne peut être quantifiable. Une bouteille ne ressemble jamais à une autre, un contexte de dégustation n'est jamais tout à fait pareil à un autre. Affirmer sans ambages qu'un vin oscille autour de 92,4 points sur 100 relève de la supercherie intellectuelle.

L'ÉVALUATION. L'exercice ne se fait pas à la légère et exige du doigté, pour ne pas dire du goûter. Une approche méthodique, standardisée et renouvelable est de mise ; les préjugés doivent être laissés au vestiaire. Encore une fois, la précision est capitale ; tout vin qui répond à mes critères de qualité a sa place dans ce guide, et ce, même s'il n'entre pas nécessairement dans mon «profil» de goût. C'est ce que j'appelle pratiquer une objectivité sans œillères.

LE CLASSEMENT. Par souci d'efficacité, je vous propose un classement par ordre croissant de prix pour chacune des catégories. Lorsqu'un produit est offert à la Société des alcools du Québec (SAQ), il est accompagné de son code produit. L'index, à la fin du guide, vous donne la liste complète des produits cités, par ordre alphabétique. Par ailleurs, afin d'être concis, j'ai limité à trois le nombre de cépages mentionnés, même si certains produits en assemblent plus.

L'INSTRUMENT DE TRAVAIL. Dans le but de standardiser les dégustations qui se sont échelonnées sur plusieurs mois, tous les vins comme les spiritueux ont été dégustés avec le verre Universal Tasting de Stölzle, et cela, aux températures de service requises.

LA GARDE DES VINS. Au moment de la dégustation, j'ai enrichi l'évaluation du vin par les indications **CT** (court terme), **MT** (moyen terme) ou **LT** (long terme) qui permettent de donner, en regard de mon expérience personnelle, une mesure approximative (je ne suis pas devin !) du potentiel évolutif du vin durant son séjour en bouteille. Dans la grande majorité des cas, les vins sont à leur sommet actuellement et ne se bonifieront plus au-delà de la cinquième année.

CT = COURT TERME: affinera son plein potentiel dans les cinq prochaines années.

MT = MOYEN TERME: affinera son plein potentiel entre la 6e et la 10e année.

LT = LONG TERME: affinera son plein potentiel au-delà de la 10e année.

LES PICTOGRAMMES. Le point d'excitation (!) est accordé au candidat dont la régularité quant à la qualité, au prix et à un je-ne-sais-quoi de plus le propulse au-dessus de la mêlée dans sa catégorie. Ce point d'excitation met de plus en évidence un produit vraiment peu cher compte tenu de sa qualité. Le pictogramme de la carafe indique que la mise en carafe est recommandée.

L'ÉTHIQUE. Le *Guide Aubry 2016* est libre de toutes contraintes commerciales, et son contenu n'engage que moi en ce qui a trait à la sélection des échantillons et aux commentaires émis. Parmi les vins blancs et rouges en vente toute l'année à la SAQ, seuls les 100 vins offrant le meilleur rapport qualité-plaisir-prix-authenticité au moment de la parution de ce guide sont mentionnés. J'espère, comme moi, que vous aurez plaisir à les déguster!

LES POINTS D'EXCITATION 2016

BLANCS

L'Orpailleur 2014

VIGNOBLE DE L'ORPAILLEUR
Canada, Québec
CODE SAQ 00704221

15,80 $ (page 38)

Trimbach Pinot Blanc 2013

F.E. TRIMBACH
France, Alsace
CODE SAQ 00089292

17,60 $ (page 47)

Côtes-du-Rhône Blanc 2014

E. GUIGAL

France, Vallée du Rhône

CODE SAQ 00290296

19,95 $ (page 56)

BLANCS

Argyros Atlantis 2014

DOMAINE I. M. ARGYROS

Grèce, Santorin

CODE SAQ 11097477

18,20 $ (page 52)

N.A.R.I. 2012
FIRRIATO DISTRIBUZIONE
Italie, Sicile
CODE SAQ 11905809

10,95 $ (page 76)

Marius 2013
M. CHAPOUTIER
France,
Languedoc-Roussillon
CODE SAQ 11975196

14,95 $ (page 84)

ROUGES

ROUGES

Devois des Agneaux D'Aumelas 2012

ELISABETH ET BRIGITTE JEANJEAN
France, Languedoc-Roussillon
CODE SAQ 00912311

20,95 $ (page 127)

Villa Antinori 2012

MARCHESI ANTINORI SRL
Italie, Toscane
CODE SAQ 10251348

24,50 $ (page 135)

MOUSSEUX

Louis Bouillot Perle Rare 2011

LOUIS BOUILLOT

France, Bourgogne

CODE SAQ 00884379

22,95 $ (page 199)

CHAMPAGNE

Laurent-Perrier Brut Rosé

CHAMPAGNE LAURENT-PERRIER

France, Champagne

CODE SAQ 00158550

98 $ (page 210)

LES 100 MEILLEURS VINS À MOINS DE 25 $

LES BLANCS

Non, les blancs ne sont pas des rouges anémiques dépourvus de globules rouges !

Leur structure moléculaire pauvre en tannins (mais non en flavones) les prive simplement du spectre coloré (et de la texture tannique) normalement attribué aux vins rouges. Ainsi l'équilibre des saveurs en est simplifié. Le goût sucré donne le change au goût acide, qui lui rend la monnaie de sa pièce. Cette relation bipartite de base varie sensiblement avec les blancs secs pour lesquels c'est le degré d'alcool (se souvenir que l'alcool a un goût sucré) qui donne le change à l'acidité. Un muscadet, par exemple, trouvera son équilibre entre ces deux pôles. Son degré d'alcool – qui le place dans la catégorie des vins légers – lui assurera déjà tout son tonus, et l'envolée recherchée se fera sous la saine férule de l'acidité.

À cette relation bipartite propre aux blancs secs s'ajoute la relation tripartite des blancs moelleux et liquoreux. Voilà qui est déjà plus complexe. Le sucré et l'alcool donnent ici le change à l'acidité. Trop d'alcool, pas assez de sucré ? Le vin paraîtra chaud et creux. Pas assez d'acidité pour contrer la densité sucrée et la puissance de l'alcool ? Alors le vin est mou, flasque, sirupeux et plat. Un sauternes, par exemple, de par son ratio alcool-sucre, trouve toujours à briller, même avec cinq grammes d'acidité, de la façon la plus harmonieuse qui soit. Jamais lourd, toujours élégant.

À TABLE. Sans vouloir me mettre à dos sommeliers, chefs en cuisine, producteurs de rouges et… vous qui me lisez, je dois dire que les vins blancs réussissent l'exploit de trouver leur équilibre à table avec un taux supérieur à celui des rouges. Comme si le sucré et l'acidité pouvaient se frayer un chemin plus aisément à travers une majorité de combinaisons alimentaires sans avoir, au passage, à se casser les dents sur ce mur que se plaisent à dresser, non sans une certaine dose de machiavélisme d'ailleurs, le salé et l'amer.

L'harmonie des vins et des mets sera toujours une affaire de goût propre à chacun et que nul ne devrait pouvoir contester. Il est sage de se méfier des gourous en la matière est sage. Comme dans la vie de couple, les mariages se réinventent chaque jour selon une foule de paramètres variables. Alors ? Alors, il faut foncer, goûter, évaluer et se faire soi-même une idée. Rien ne vaut les travaux pratiques !

LES FROMAGES. Essayez un rouge de Bordeaux avec un camembert: grimace assurée ou argent remis. J'irais plutôt pour un chenin de Loire sec et structuré, un coteaux-du-layon plus doux, un cidre de pomme sec ou, pourquoi pas, un bon calvados. J'ai personnellement plaisir à coucher un blanc sur le fromage, surtout en fin de repas, non seulement pour «dédramatiser» le palais alors blindé sous la charge cumulative des tannins du rouge, mais aussi pour mouiller, comme le ferait une rosée du matin, des bourgeons gustatifs qui ne demandent qu'à retrouver leur fonction première. Un pouilly de chez Jolivet, un sancerre de chez Bourgeois ou un pinot grigio de chez Lageder avec un crottin de Chavignol affiné, ou encore un Beaucastel 2010 des frères Perrin avec une tomme du Manitoba ou un beaufort, calment les sens tout comme ils les stimulent et les contentent.

LES CATÉGORIES DE FROMAGE. Bien sûr qu'un chinon de chez Baudry (22,25 $ – 10257571 – ★★★), un merlot du Domaine de Moulines (12,20 $ – 00620617 – ★★☆) ou un tempranillo de Borsao (12,95 $ – 10324623 – ★★☆) peuvent refleurir aux côtés de *pâtes molles à croûtes fleuries*, mais j'avoue avoir un faible pour un blanc sec non boisé qui ne manque pas de caractère tels une viura espagnole (Jialba Genoli 2014 – 14,75 $ – 00883033 – ★★☆), un vermentino de Corse (Domaine d'Alzipratu Fiumeseccu 2014 – 22,20 $ – 10884663 – ★★★) ou un corse figari (Clos Canarelli 2013 – 41,25 $ – 11794660 – ★★★★) ou encore un sémillon du Nouveau Monde.

Plus est affiné le ***chèvre*** et plus les blancs riches, doux et parfumés trouveront à chevroter. Pourquoi pas des blancs canadiens tels le Domaine Les Brome Réserve St-Pépin 2012 (29,95 $ – 10919723 – ★★★), le Pinot Gris Réserve 2013 de Mission Hill (22,25 $ – 12545008 – ★★★), le Frontenac gris 2014 de Gagliano (19,15 $ – 11575731 – ★★⯪), le Réserve Blanc 2012 du Domaine St-Jacques (24,00 $ – 11506390 – ★★★), ou encore le Chardonnay 2012 de Tawse (22,95 $ – 11039736 –. Avec ce même chèvre, vous pourriez aussi aller du côté d'un Quincy 2013 du Domaine des Ballandors (21,95 $ – 00976209 – ★★★), d'un Menetou-Salon 2013 de chez Chavet (23,10 $ – 00974477 – ★★⯪), d'un Fumé Blanc 2013 de chez Mondavi (25,75 $ – 00221887 – ★★★) ou même d'un Terres Blanches 2013 du Domaine Belle (28,25 $ – 11400958 – ★★★⯪).

Les ***pâtes molles à croûtes lavées*** (du type chevalier-mailloux, maroilles, sur un Laurier d'Arthabaska, etc.) gagneront au contact d'un Pouilly-Fuissé 2013 de chez Boisset (25,45 $ – 11675708 – ★★★), d'un Saint-Véran 2013 de chez Duboeuf (21,70 $ – 00134742 – ★★★), d'un Chardonnay Castello di Pomino 2014 de Frescobaldi (19,95 $ – 00065086 – ★★★), ou encore d'un Chardonnay North Coast de Clos du Bois 2014 (18,00$ – 11768568 – ★★⯪) ou d'un Chardonnay Liberty School 2014 (20,50 $ – 00719443 – ★★⯪), tous deux de Californie.

Les ***pâtes pressées cuites*** (type emmental ou gruyère) et ***non cuites*** (type mimolette, Victor et Berthold, saint-nectaire, reblochon, etc.) affectionnent les blancs secs, fruités, toniques et affirmés : les Capitel Foscarino 2013 de chez Anselmi (23,60 $ – 00928218 – ★★★⯪) et soaves

Classico 2014 de Pieropan (18,80$ – 11027743 – ★★★), les La Froscà 2012 de Gini (26,80$ – 12132107 – ★★★☆) ainsi que les altesses de Savoie (Jean Perrier et Fils 2013 – 17,25$ – 11965182 – ★★☆ et Château de Ripaille 2013 de chez Necker Engel – 17,70$ – 00896720 – ★★☆) et le Pinot Blanc Grande Réserve de Pfaffenheim (16,25$ – 11459677 – ★★☆) d'Alsace.

Quant aux ***bleus*** de type roquefort, bleu des Causses, d'Auvergne et autres pâtes persillées où le salé et le piquant dominent, je préfère, et de loin, jouer l'alliance des contraires avec les moelleux (sauternes 2010 du Château Lafaurie-Peyraguey – 37,00$ les 375 ml – 11550147 – ★★★☆; jurançon Uroulat 2012 de Charles Hours – 18,60$ les 375 ml – 00709261 – ★★★☆; banyuls Domaine La Tour Vieille 2013 – 25,45$ les 500 ml – 11544222 – ★★★☆), plutôt que de choisir des rouges tanniques et puissants tels les madiran, cornas, châteauneuf-du-pape, etc., qui ne vous laisseront pas une minute de répit. Pourquoi faire la guerre quand on peut ménager la paix?

Meia Encosta 2014

SOCIEDADE DOS VINHOS BORGES

Portugal, Dao

SAQ 12332301

12,30$

Il y a quelque chose qui m'attire dans cette appellation Dao située au cœur du Portugal, dans des terres rudes et chaudes où le granit rose affleure et où les vins se démarquent par un profil d'excellente tenue. Ce n'est pas un coin de pays réputé pour ses grands vins, certes, mais il est bien pourvu en vins authentiques, blancs comme rouges, rustiques et bourrés de caractère. Des vinifications de pointe assurent des équilibres parfaits, avec une fraîcheur revendiquée à même le terroir local fortement minéral. Cette cuvée, nette, discrète et parfumée, offre un registre citronné dans lequel se greffent de fines notes balsamiques et épicées sur une trame non boisée. Un blanc simple, un blanc de fraîcheur destiné aux mets simples aussi, où porc, palourdes et poisson font bon ménage. La version en rouge (00250548) à petit prix vaut aussi le détour. **CT** ★★✯

CÉPAGES ENCRUZADO, MALVASIA NERA, BICAL

5 601129 034041

Vous avez aimé ce vin ? Vous pourriez aimer aussi
Les Vignes Retrouvées 2013, Producteurs Plaimont, France 12,85$ – 10667319 – ★★✯

Chardonnay 2014

GIUSEPPE CAMPAGNOLA
Italie, Vénétie
SAQ 12382851

13,15 $

Ce chardonnay qui entrait à la SAQ par la porte des produits courants l'année passée est toujours aussi recommandable cette année. Avec un prix revu à la baisse ! Comme si certains Italiens avaient compris que l'on pouvait à la fois pratiquer des volumes substantiels sur plusieurs cuvées tout en livrant un produit de qualité. À l'image des vins espagnols qui concentrent depuis plusieurs années leurs efforts avec une redoutable efficacité dans cette fourchette de prix. Voilà un vin qui, au détour, vous attrape au collet et vous propose de vous installer devant des linguines alle vongole ou des fettucines carbonara, histoire de faire jouer sa joyeuse acidité avec ses côtés fruités de pommes et de pêches mûres des plus séduisants. Il est sec, léger sans être boisé. Un régal.
CT ★★☆

CÉPAGE CHARDONNAY

Vous avez aimé ce vin ? Vous pourriez aimer aussi
Domaine Louis Moreau Petit Chablis 2014, Louis Moreau, France 21,40 $ – 11035479 – ★★★

Ormarine Picpoul de Pinet Les pins de Camille

MAISON JEANJEAN

France, Languedoc-Roussillon

SAQ 00266064

13,95$

Oui, toujours dans le guide. Une fois de plus. Ce n'est pas parce que c'est plus fort que moi, mais j'avoue tout de même une faiblesse pour ces vins qui n'ont rien à prouver, qui savent être utiles à tout moment, qui savent se tenir loin des modes au point de devenir eux-mêmes indémodables, ou encore, qui plaisent et surtout donnent du plaisir – oui, du plaisir, ce mot galvaudé entre tous – à près de 99% des buveurs de vin. Je laisse à l'élite (le 1%) le soin de continuer à boire des étiquettes! Trêve de bavardage: goûtez-le. Servi à 10 °C, le picpoul devient un sprinter qui quitte les blocs avant même que vous n'ayez compris ce qui se passe. Du tonus, du muscle, de l'élan et une détente si naturelle que vos papilles ont tout juste le temps d'en apprécier le délicieux fruité au passage. Un blanc bien sec, léger mais pourvu d'une certaine densité, savoureux, évidemment salin pour mieux faire de l'œil à l'huître de passage.

CT ★★½

CÉPAGE PICPOUL

Vous avez aimé ce vin? Vous pourriez aimer aussi
Château Saint-Martin de La Garrigue Picoul de Pinet 2013, Saint-Martin de la Garrigue, France 18,75$ – 11460045 – ★★★

Les Frères Couillaud Domaine de la Ragotière Chardonnay 2014

LES FRÈRES COUILLAUD

France, Vallée de la Loire

SAQ 10690501

14,20$

Le chardonnay, quel sacripant de caméléon ! On pense en avoir fait le tour, dressé son portrait robot, posé les repères ayant trait aux accords qu'il partage avec les plats, et le voilà filant dans une tout autre direction, riant sous cape de vous voir tout dubitatif. Ne pensez pas ici au moelleux profond d'un meursault. Pensez plutôt à un chablis, mais sans le terroir qui l'accompagnerait. Autres lieux, autres mœurs, c'est au terroir du cousin melon de bourgogne que ce blanc sec s'associe. D'ailleurs, dégusté à l'aveugle, ce chardonnay a des airs de muscadet avec lequel il partage le «mordant» lié aux terroirs de fines graves locales. Bien sec, léger, vivace, tout est ici tracé dans l'axe avec une part minérale non négligeable et, en prolongement de bouche, une certaine richesse liée sans doute à son séjour sur lies en cuve inox. Locataire de ce guide depuis quelques années déjà, le voilà reconduit pour sa bonne conduite cette année. Beignets de crevettes ou accras de morue. **CT** ★ ★ ☆

CÉPAGE CHARDONNAY

Vous avez aimé ce vin ? Vous pourriez aimer aussi
Vignoble du Marathonien 2014, Vignoble du Marathonien, Québec 14,50$ – 11398325 – ★★

Masi Tupungato Passo Blanco 2014

VIGNETI LA ARBOLEDA

Argentine, Mendoza

SAQ 12355431

14,95$

Cette maison de Vénétie considérée comme la papesse de l'Amarone della Valpolicella présente à l'autre bout du monde un profil de vin fort différent. Un blanc qui demeure bien sec (dans ce monde où il n'est plus rare de flairer 10 grammes de sucre par litre) mais, en prime, avec un titre faible sur le plan de l'alcool. Une jolie prouesse technique qui, en ces temps de monstres chauds et capiteux, fait saliver le badaud et lui laisse l'esprit libre de fonctionner après boire. Il y a aussi le pinot grigio dont la popularité auprès de toutes les femmes de la planète (n'y voyez pas de misogynie!) n'est pas prête de s'essouffler; avec le très aromatique torrontes, il est plus qu'évident que charme, plaisir, soif feront un tout indissociable. La finale croquante et saline invite ici les petites fritures à faire preuve de leurs talents. **CT** ★★½

CÉPAGES PINOT GRIGIO, TORRONTES

Vous avez aimé ce vin? Vous pourriez aimer aussi
Jaffelin Bourgogne Aligoté 2014, Jaffelin, France
18,40$ – 00053868 – ★★★

Chaminé 2014

CORTES DE CIMA
Portugal, Alentejo
SAQ 11156238

14,95 $

Si j'étais une morue nageant au sein d'olives, de carottes et d'oignons dans un bouillon, je craindrais pour ma vie ! Car ce blanc sec aurait tôt fait de me noyer avec quelques rasades. Affinités culturelles dont on ne dira jamais assez qu'elles fonctionnent le plus naturellement du monde. Ce type de blanc dont on n'aurait jamais imaginé l'existence il y a 20 ans prouve bien que le Portugal s'inscrit désormais dans la modernité, sans y perdre son âme. Pas un monument de complexité il est vrai, mais un vin qui a de la gueule, du caractère, une présence affirmée et passablement de tenue pour un blanc. Le vin demeure bien sec, avec un contraste acidité-amertume saisissant, un milieu de bouche filiforme et une finale s'éclatant sur les fruits secs. Apéro plus que sympathique avec des tapas. **CT** ★★✯

CÉPAGES ANTAO VAZ, VIOGNIER, SAUVIGNON BLANC

Vous avez aimé ce vin ? Vous pourriez aimer aussi
Clos de la Briderie 2014, Clos de la Briderie, France 17,50 $ – 00861575 – ★★✯

Quinta do Minho 2014

QUINTA DO MINHO AGRICULTURA E TURISMO

Portugal, Vinho Verde

SAQ 10371438

15,30$

En bordure de l'Atlantique, sous le climat océanique à l'extrême pointe nord du Portugal, le vert est partout. Un vert luxuriant que le vignoble local restitue jusque dans ses fruits, sans filtre, avec une rare intensité. Nulle part ailleurs ce mimétisme ne fait autant sentir que dans les cépages loureiro et alvarhino, polaroïd fidèle sur lequel fruit, climat et terroir vibrent à l'unisson. S'il est simple de facture, le loureiro n'en est pas moins d'une redoutable intensité. Les sols granitiques le poussent ici à se maintenir sous tension, une tension favorisée par une pointe de gaz carbonique résiduel qui, à l'image du muscadet en Loire, décuple les rebondissements de fraîcheur en bouche. Un blanc pas tout à fait sec (seulement 5 g/L) mais contrasté, léger et digeste, surtout très polyvalent à table. Bien meilleur que l'eau claire en tout cas. **CT** ★★☆

CÉPAGE LOUREIRO

Vous avez aimé ce vin ? Vous pourriez aimer aussi
Pyrène Cuvée Marine 2014, Lionel Osmin, France 13,45$ – 11253564 – ★★☆

Velenosi Villa Angela Pecorino 2014

VELENOSI SRL
Italie, Les Marches
SAQ 11155673

15,55 $

Si la qualité de ce blanc sec et léger tire en bonne partie sa crédibilité de sa compréhension parfaite de la vinification de pointe, il n'en reste pas moins que la magie opère toujours. Oubliez ces monstres de puissance à vous envoyer illico à la sieste ou ces boisés capables de vous planter des échardes dans le palais. Bienvenue dans un monde de subtilité et de délicatesse, de friandise fine et de grâce assumée. Ça sent bon le melon miel comme dans un bon soave de Vénétie ; ensuite, il y a ces nuances balsamiques et d'herbes fraîches qui montent, ajoutant à l'intrigue et prolongeant la finale. On pense en avoir fait le tour puis hop ! le voilà qui gagne finement en intensité, ouvrant sur des accords vins et mets des plus insolites. Avec une salade d'endives et de fenouil, par exemple. **CT** ★★☆

CÉPAGE PECORINO

Vous avez aimé ce vin ? Vous pourriez aimer aussi
Ken Forrester Petit Chenin 2015, Ken Forrester Wines, Afrique du Sud 14,85 $ – 10702997 – ★★☆

L'Orpailleur 2014

VIGNOBLE DE L'ORPAILLEUR

Canada, Québec

CODE SAQ 00704221

15,80$

La passion appliquée sur le terrain, souvent contre vents et marées et saisons végétatives trop courtes, donne ici matière à se réjouir. Une passion que partage Charles-Henri de Coussergue avec ses collègues, au fil de ces millésimes parfois en dents de scie, qui enracinent la jeune viticulture québécoise. Que d'expertise pour en arriver là! Pour vous le dire crûment, ce blanc net, léger et bien vivant, porté par son fruité de melon et de citron est source d'une émotion directement proportionnelle aux préjugés que nous pourrions encore nourrir quant à notre production nationale. La dégustation à l'aveugle effectuée avec d'autres produits locaux mais aussi avec des alvarinho et des loureiro portugais m'a d'ailleurs confirmé que ce vin avait bel et bien sa place sur l'échiquier mondial. Mais buvons-le pour ce qu'il est, sans chichis, avec une pointe de fierté… certifiée Québec! **CT** ★★☆

CÉPAGES VIDAL, SEYVAL

Vous avez aimé ce vin? Vous pourriez aimer aussi
Classique de St-Jacques 2014, Domaine St-Jacques, Québec 16,00$ – 11506120 – ★★☆

Château Bertinerie 2014

BANTEGNIES ET FILS
France, Bordeaux
SAQ 00707190

15,95$

Après des millésimes creux (dans l'ensemble de l'appellation s'entend), voilà un 2014 qui redonne espoir. Pas de creux sur le plan qualitatif avec cette maison qui livre son fruité en bouteille avec une facilité qui, pour certains, paraîtra déconcertante. Mais voilà, ça marche. Ce sauvignon a une signature, celle des Bantegnies bien sûr, mais ce sont aussi les terroirs de Blaye qui étoffent plus substantiellement le fruit, le raffermissant au passage. Un blanc qui s'appuie sur des techniques éprouvées et qui montre qu'une matière première saine et bien mûre donnera toujours un bon vin. Oubliez ici buis et artichaut, herbes coupées et citron acidulé, on est presque sur la poire, le poivre et une touche florale en arrière-plan. Ce vin est sec, vivace, long, tracé à merveille. Un parfait apéro mais aussi un ami des coquillages et des chèvres à peine affinés. **CT** ★★☆

CÉPAGE SAUVIGNON BLANC

Vous avez aimé ce vin ? Vous pourriez aimer aussi
Château de Fontenille 2014, Château de Fontenille, France 16,55$ – 10863150 – ★★★

Mas Vignes de Nicole 2014

LES DOMAINES PAUL MAS

France, Pays d'Oc

SAQ 11767768

15,95$

Je n'ai bu ce vin qu'une fois cette année, ce que je résumerais par le fait de manquer royalement de flair. Ou d'être à côté de la voie ferrée. Ou les deux. Car les vins du talentueux Jean-Claude Mas ne méritent pas ça. Loin de là! En fait, pour l'avoir suivie au fil des années, toute la gamme vaut largement le détour. Des vins qui, s'ils n'ont pas d'ambition côté prix, s'efforcent en revanche d'en avoir en bouteille, livrant fidèlement des morceaux de terroirs crédibles, authentiques. De plus, il y a dans cette maison familiale une façon de faire bien, de faire bon, sans en avoir l'air, sans autre prétention que de livrer des vins digestes, bien frais, soutenus sur le plan fruité, sans qu'ils s'alourdissent de sucres résiduels déplacés. Ce blanc est aromatique, précis, vineux et long en bouche. Aubergines farcies, tagines, pissaladière ou autres tartes à l'oignon feront l'affaire. (P.-S. : j'en ai bu trois bouteilles depuis la fin de la rédaction de ce guide.) **CT** ★★★

CÉPAGES CHARDONNAY, SAUVIGNON BLANC, VIOGNIER, PICPOUL

Vous avez aimé ce vin ? Vous pourriez aimer aussi
Cave de Roquebrun Les Fiefs d'Aupenac 2014, Cave de Roquebrun, France 19,90$ – 10559174 – ★★★

Regaleali Blanco 2014

CONTE TASCA D'ALMERITA

Italie, Sicile

SAQ 00715086

16,35 $

Est-ce encore une fois le fait d'être entouré d'eau salée qui imprime à ce point un caractère salin à ce blanc sec sicilien ? Ou est-ce le caractère particulier de ces cépages qui trouvent, dans les sous-sols volcaniques de l'île, matière à exacerber cette fameuse salinité ? Quelle importance après tout ! Retenons simplement que l'équation fonctionne. Retenons aussi l'originalité de ces cépages si complémentaires qu'ils nourrissent un registre aromatique et gustatif unique, avec une impression légèrement perlante doublée d'une brillance, d'une transparence inhabituelle pour des vins si méridionaux. Je trouve personnellement admirable qu'il se fasse de par le monde des vins de ce type, des vins de lieux, avec une origine qu'on ne peut copier aisément. Dommage seulement que les vins de cette grande maison de Sicile ne soient pas plus connus ni disponibles chez nous. Apéro ou poisson fin. **CT** ★ ★ ★

CÉPAGES ANSONICA, CATARRATTO, GRECANICO

Vous avez aimé ce vin ? Vous pourriez aimer aussi
Attems Pinot Grigio 2014, Conti Attems, Italie
21,25 $ – 11472409 – ★★★

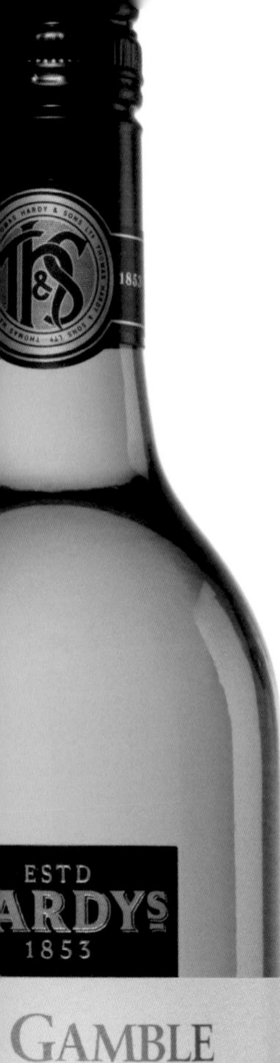

Chronique 2, The Gamble Chardonnay Pinot 2014

BRL HARDY

Australie, région méridionale

SAQ 12207800

16,95$

Vous m'auriez dit qu'il y avait une bonne part de chenin blanc dans cet assemblage qui fait la part belle au chardonnay et au pinot grigio, et je vous aurais cru haut la main. Mais voilà, il n'y en a pas! Je ne sais comment la maison s'y prend pour s'assurer d'un blanc sec titrant 12,5% d'alcool par volume qui soit aussi crédible qu'équilibré. Un blanc moderne, qui montre le chemin parcouru sur le plan technique par ce pays continent au cours des 20 dernières années, mais aussi avec, me semble-t-il, une meilleure lisibilité des particularités régionales. Il y a ici du fruit, du volume et une vivacité rapidement conquise par une amertume en finale. Bref, tout cela fonctionne bien, mieux encore avec une salade de poulet aux agrumes. Bon appétit! **CT** ★★✫

CÉPAGES CHARDONNAY, PINOT GRIGIO

Vous avez aimé ce vin? Vous pourriez aimer aussi
Masciarelli Trebbiano d'Abruzzo 2014, Masciarelli, Italie 14,15$ – 12635097 – ★★✫

Caliterra Tributo 2014
Sauvignon Blanc

VINA CALITERRA

Chili, Aconcagua

SAQ 11905788

16,95 $

Vous dévissez la capsule et voilà le génie aromatique de la bouteille qui colonise ce qu'il vous reste d'espace dans une pièce, tant ce sauvignon sauvignonne sauvagement. Faites le test ! Pour les fans qui ne jurent que par les affinités aromatiques, disons que vous avez là, au nez comme en bouche, une poignée de groseilles à maquereau bien mûres qui vous gicle entre les doigts et dont le registre poivré et citronné peine à s'évanouir. Intense ! Cela dit, ne cherchez aucune complexité ici, seulement une verve fruitée à vous disloquer la mâchoire. C'est littéralement foudroyant ! Ce vin a le mérite d'être bien sec, avec une jolie matière, une excellente tenue en bouche et une finale longue bien que simple d'expression. Un vin sidéralement désaltérant avec une salade de tomates basilic bocconcini, un bar rayé au fenouil, ou encore des crevettes sautées à la thaïlandaise. **CT** ★ ★ ★

CÉPAGE SAUVIGNON

Vous avez aimé ce vin ? Vous pourriez aimer aussi
Arboleda Sauvignon Blanc 2013, Vina Sena, Chili 20,05 $ – 11256626 – ★★★

Domaine du Salvard Cheverny 2014

GAEC DELAILLE

France, Vallée de la Loire

SAQ 00977769

17,25 $

Vous connaissez mon appétence pour ces blancs aromatiques qui, l'air de rien, annoncent le beau temps et les journées ensoleillées. Comme si le vin vibrait lui-même à l'unisson et vous proposait à sa façon d'en vivre pleinement l'expérience. Voilà une bombe solaire à vous faire écarquiller les yeux en janvier, au moment où votre énergie est en berne et que la lumière au bout du tunnel ne viendra qu'au mois de mai. Il y a d'abord un accord entre le sauvignon, tranchant comme une lame de rasoir avec sa tonalité de citron vert, et le chardonnay qui s'excuse presque de ne pas apporter plus de rondeur et de moelleux à l'ensemble. C'est calculé comme ça. Bien que léger, ce blanc sec vous mord, vous pique et vous fait claquer la langue sans jamais la paralyser sous quelques lourdeurs boisées que ce soit, proposant une formidable expression du terroir en échange. Pas mal avec des *fish and chips*. **CT** ★ ★ ★

CÉPAGES SAUVIGNON BLANC, CHARDONNAY

Vous avez aimé ce vin ? Vous pourriez aimer aussi
Domaine Maison Père et Fils Cheverny 2014, Maison Père et Fils, France 18,30 $ – 11649201 – ★ ★ ★

Domaine de La Lieue Chardonnay 2014

DOMAINE LA LIEUE

France, Provence

SAQ 10884655

17,30 $

Le rosé (16,90 $ – 11687021 – ★ ★ ★) et le rouge (14,20 $ – 00605287 – ★ ★ ★) de la maison n'ont plus besoin de présentation. Avec le blanc, ils forment un trio qui a ses fans, lesquels l'achètent les yeux fermés, confiants qu'il y a ici non seulement de bons vins de paysan-artisan mais aussi des vins d'origine qui parlent d'un lieu et d'un savoir-faire. Pas nécessairement des plus complexes, ce blanc sec est tout simplement parfumé avec délicatesse, très net et bien droit sur le plan de la clarté, jouant tour à tour la pêche et le pamplemousse sur une bouche d'abord en rondeur en raison de sa vinosité puis plus longiligne et vivace sur la finale. Un vin issu de l'agriculture biologique qui semble s'affiner à chaque millésime et qu'une soupe de poisson ou quelques coquillages devraient ennoblir plus encore.
CT ★ ★ ½

CÉPAGE CHARDONNAY

Vous avez aimé ce vin ? Vous pourriez aimer aussi
Basa Rueda 2014, Compania de Vinos Telmo Rodriguez, Espagne 16,45 $ – 10264018 – ★ ★ ½

Château Tour des Gendres Cuvée des Conti 2014

FAMILLE DE CONTI

France, Dordogne

SAQ 00858324

17,35 $

N'y allons pas par quatre chemins, au risque de gonfler à hauteur de montgolfière l'orgueil de l'auteur de ce bijou : Luc de Conti est, ni plus ni moins, le prince de Bergerac. Un prince qui n'a, avec les vins de son fief du « haut pays », aucune leçon à recevoir des girondins qui en aval partagent pourtant la même pépinière ampélographique. Un meneur discret mais qui n'en fait qu'à sa tête et bosse avec ses tripes. C'est un méticuleux, le monsieur, avec des objectifs qualitatifs précis, aussi exigeant qu'il sait s'entourer d'une équipe sûre. Ce blanc sec, vendu pour une bouchée de pain, captive d'abord au nez avec son registre de cédrat confit, de gingembre et de miel, avant de poursuivre en bouche avec une intensité, une droiture et une part d'énergie non négligeables. Un blanc sec très sain, à boire à grandes lampées avec une paella de crustacés. **CT** ★ ★ ★

CÉPAGES SÉMILLON, SAUVIGNON BLANC, MUSCADELLE

Vous avez aimé ce vin ? Vous pourriez aimer aussi
Muga Rioja 2014, Bodegas Muga, Espagne
17,90 $ – 00860189 – ★★★

Trimbach Pinot Blanc 2013

F. E. TRIMBACH
France, Alsace
SAQ 00089292

17,60 $

On voudrait déléguer aux quatre coins du monde un ambassadeur qui refléterait la réalité locale que je verrais d'un bon œil la maison familiale Trimbach. On est ici au cœur de ce que l'Alsace représente de plus cohérent, de plus fidèle à ses traditions, avec une rigueur qui fait fi des sucres résiduels pour mieux s'assurer de l'équilibre d'ensemble. On pourrait penser que ce pinot blanc est un modèle du genre. Rien d'insignifiant ici, alors que ce peut être le cas avec d'autres cuvées dans lesquelles on a tiré de la vigne un produit passablement dilué. Non, derrière une vinification parfaitement maîtrisée, le fruit, en raison de son aspect très léger perlant, tend vers l'expression d'un riesling, plus pointue que celle d'un pinot gris, plus riche et plus ample. La dynamique de bouche est stimulante, sapide, fine et minérale, d'une légèreté qui pousse le vin vers des sommets de fraîcheur. Parfois en rupture de stock, ce vin est tout de même un must ! **CT** ★ ★ ★

CÉPAGES PINOT AUXERROIS, PINOT BLANC

Vous avez aimé ce vin ? Vous pourriez aimer aussi
La Cana Albarino Jorge Ordonez Selection 2013, Bodegas La Cana, Espagne 22,95 $ – 12213450 – ★★★

Domaine la Haute Févrie 2013 et 2014

CLAUDE BRANGER

France, Vallée de la Loire

SAQ 10516369

17,60$

Dégusté sur place en juin 2015 en compagnie du père et du fils, ce vin m'a impressionné par la subtilité des muscadets maison, mais aussi par les prix d'amis pratiqués. À moins de 10$ la bouteille, vendue à la propriété pour les grandes cuvées, on se demande comment ces vins aiguisés comme des silex et pourvus de nuances minérales profondes peuvent encore se permettre des prix aussi intéressants. Recherchez dans vos pérégrinations les cuvées Grand Mouton et Monnière St-Fiacre que je considère ni plus ni moins comme les Musigny des muscadets! Le domaine est important avec ses 27 hectares convertis en bio et les vins sont d'une précision inouïe. On a l'impression de flotter au-dessus de son verre tant le melon de bourgogne y danse, avec une tension, une légèreté et un réalisme absolument fabuleux. Puis, toujours une belle salinité mouillant la finale et invitant au verre suivant… **MT** ★★★

CÉPAGE MELON DE BOURGOGNE

Vous avez aimé ce vin? Vous pourriez aimer aussi
Muscadet-Sèvre et Maine 2013, Chéreau Carré, France 15,20$ – 00365890 – ★★✯

Gentil Hugel

HUGEL ET FILS

France, Alsace

SAQ 00367284

17,95 $

Un véritable cocktail de cépages apparu bien avant que les mixologues du monde entier s'affairent à concocter leurs extravagances à base de boissons fortes ! Selon les millésimes, ce sont cinq cépages qui nuancent cette belle cuvée ma foi fort bien réussie dans ce millésime-ci. Le vin est sorti du lot aussi naturellement qu'une star de cinéma descend de sa limousine : avec une nonchalance mêlée d'assurance, et une pointe d'orgueil qui fait se trémousser les foules. Le registre aromatique est net, large, intense et très… alsacien de ton. Il y a une réelle complicité, voire une complémentarité entre les cépages qui, unis, sont aussi solidaires que les cinq doigts de la main. Les quatre grammes de sucre n'altèrent en rien la crédibilité ni la buvabilité de ce blanc léger (12 % alc./vol.) qui trouvera, avec un cari rouge ou d'autres plats exotiques, matière à calmer le jeu et à démultiplier le plaisir. Servir bien frais.

CT ★ ★ ☆

CÉPAGES RIESLING, GEWURZTRAMINER, MUSCAT

Vous avez aimé ce vin ? Vous pourriez aimer aussi
Tsantali Agioritikos 2014, E. Tsantali, Grèce
16,40 $ – 00861856 – ★ ★ ☆

Mission Hill Five Vineyards Pinot Blanc 2013

MISSION HILL FAMILY ESTATE

Canada, Colombie-Britannique

SAQ 00300301

17,95 $

Cette maison de la vallée de l'Okanagan, c'est un peu Robert Mondavi au Canada. Bien enraciné et bénéficiant de nombreux terroirs fournissant eux-mêmes un nombre plus qu'appréciable de cuvées, l'ensemble immobilier impressionne, tout comme les installations de vinification à la fine pointe de la technologie. Il s'y fait même des vins « de garage » (Compendium – 60,25 $ – 11262891 – ★★★½ ou Quatrain – 65,00 $ – 11140447 – ★★★½), capables de rivaliser avec les crus étasuniens. Personnellement, rien à redire sur la netteté des vins. Ils surprennent même par leurs typicités respectives et leur équilibre. Modernes, il est vrai, mais répondant à ce que l'amateur recherche, à savoir franchise et digestibilité. Aromatique, avec un goût de pomme verte et de citron, ce blanc sec offre rondeur et vivacité sur une finale moyenne. Tout simple mais délicieux avec un sandwich poulet mayonnaise. **CT** ★★½

CÉPAGE PINOT BLANC

Vous avez aimé ce vin ? Vous pourriez aimer aussi
Léon Beyer Pinot Gris 2013, Léon Beyer, France
21,25 $ – 00968214 – ★★★

Gaba do Xil Godello 2014

COMANIA DE VINOS TELMO RODRIGUEZ
Espagne, Galice
SAQ 11896113

18,10 $

Remercions déjà monsieur Rodriguez pour sa proposition de maquette du futur pont Champlain librement dessiné sur l'étiquette ! Mais au-delà de l'étiquette, voici un blanc sec, redoutable d'intensité, qui vous regarde dans les yeux, l'air de dire que votre périple tout au nord-ouest de l'Espagne ne s'arrête pas là. Il faut d'ailleurs louanger des hommes de cette trempe de nous proposer avec autant de conviction ce cépage (le mencia en rouge pourrait être son *alter ego*) qui n'a rien à envier aux meilleurs melons de Bourgogne, aligotés ou sauvignons de ce monde. Ce petit bijou de tension fruitée, vinifié avec une précision d'horloger, nous interpelle par sa lisibilité, sa clarté, sa dégaine à la fois libre et aérienne, soutenue et vivace, bref, une merveille d'ingénierie gustative. Pour tout dire, j'adore ce vin ! Génial à l'apéro et pas du tout banal avec les accras de morue.
CT ★ ★ ★

CÉPAGE GODELLO

Vous avez aimé ce vin ? Vous pourriez aimer aussi
Domaine Laroche Chablis Saint-Martin 2014, Domaine Laroche, France 25,90 $ – 00114223 – ★ ★ ★

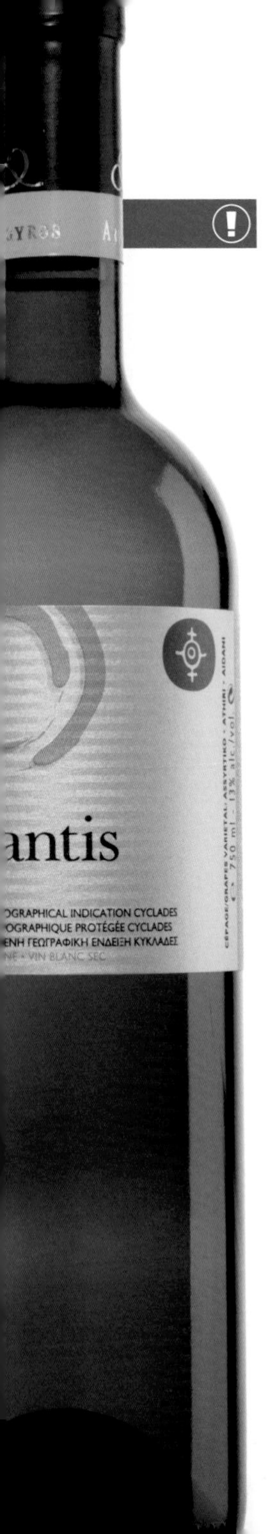

Argyros
Atlantis 2014

DOMAINE I. M. ARGYROS

Grèce, Santorin

SAQ 11097477

18,20$

C'est tout juste si je ne verse pas de ce vin dans mes céréales le matin tant il m'impressionne. Je ne vous cacherai pas que depuis ma visite sur place il y a déjà trois ans, j'ai rapporté dans le bagage de mes souvenirs les plus délicieuses impressions. J'y ai foulé des calcaires volcaniques si secs que même une larme de dieu grec ne peut y pénétrer, j'y ai vu des cépages rampants, captant la *seule* goutte de rosée matinale disponible, j'y ai senti le vent marin complice d'un soleil d'airain à vous plaquer au sol, enfin, je me suis senti transporté à une époque révolue durant laquelle des saveurs anciennes défiaient cette bouillie mondialisée qui est celle des vins d'aujourd'hui. La Grèce est peut-être à genoux devant ses créanciers voraces du FMI et cie. Mais elle possède tout l'or du monde dans cette cuvée vivace, appétissante, saline et bourrée de caractère. Par Zeus ! que c'est bon ! Préférez-le en apéro, pas dans vos céréales. **CT** ★ ★ ★

CÉPAGES ASSYRTIKO, ATHIRI, AIDANI

Vous avez aimé ce vin ? Vous pourriez aimer aussi
Domaine Gerovassiliou 2014, Domaine Gerovassiliou, Grèce 19,05$ – 10249061 – ★★★

Donnafugata Anthìlia 2014

DONNAFUGATA

Italie, Sicile

CODE SAQ 10542137

18,45 $

Chaude lutte cette année entre la cuvée Anthilia et le Fondo Antico Grillo Parlante 2014 (16,90 $ - 10675685 - ★★✯), La Segreta Planeta 2014 (17,30 $ - 00741264 - ★★✯) et, dans une moindre mesure, l'Angimbé Cusumano 2014 (13,90 $ - 11097101 - ★★), des cuvées dégustées à l'aveugle qui montrent une fois de plus la pertinence des blancs dans cette île loin d'être avare en matière de réchauffement solaire. Pourtant, l'équilibre point, avec un naturel déconcertant. Je ne me lasse pas de l'Anthilia, vraiment. Je ne suis pas le seul. Demandez à ma coiffeuse Marie-Claude qui, elle, ne carbure qu'à ça, à l'apéro entre filles ou avec un filet de morue tout juste saisi à la poêle. Précision d'horloger sur le plan aromatique, avec un débordement mesuré de fruits jaunes et blancs (pêche, poire) d'une exquise délicatesse. Même réjouissance en bouche, où vivacité, galbe et textures fines apprivoisent le minéral. **CT** ★★★

CÉPAGES ANSONICA, CATARRATTO

Vous avez aimé ce vin ? Vous pourriez aimer aussi
Malvasia 2013, Birichino Amici, États-Unis
19,95 $ - 11073512 - ★★★

Réserve Riesling 2013

LÉON BEYER

France, Alsace

SAQ 00081471

19,00$

On dira ce qu'on veut, le riesling, tout de même, ce n'est pas de la rigolade. Mettons déjà au coin, avec un bonnet d'âne, celles et ceux qui prétendent encore et toujours que ce cépage est trop fruité et trop sucré. Il faudrait qu'ils s'abonnent illico à la filière Beyer pour saisir les rudiments du beau vin. Nous ne sommes pas très loin ici de l'idéal fait vin. Dans ce cas-ci, l'impression d'acuité est telle qu'on dirait le fruit guillotiné à la mandoline tant il est tranchant et coupant en bouche, vibrant de façon aromatique avec une intensité que le terroir local émancipe plus encore. Un blanc très sec, léger, floral et minéral, d'une densité qu'on aurait tort de sous-estimer. La finale est longue, très pure. On se régale tout en mangeant une tarte à l'oignon, ou *flàmmeküeche*! **CT** ★ ★ ★

CÉPAGE RIESLING

Vous avez aimé ce vin ? Vous pourriez aimer aussi
Hugel Riesling 2013, Hugel et Fils, France
18,75$ – 00042101 – ★★★

Frescobaldi
Castello di Pomino 2014

MARCHESI DE FRESCOBALDI
Italie, Toscane
SAQ 00065086

19,95 $

S'il chantait, ce blanc sec porterait Joselito dans les aigus alors que Dalida assurerait la mélodie de fond, à la fois fragile et sensuelle. Car oui, voilà bien un vin qui chante, modulant sa portée sans pour autant sauter les octaves tout en pointant juste des notes cristallines fruitées. Haut perchés dans l'arrière-pays toscan, chardonnay et pinot blanc y préservent une franche naïveté, une expression du bonheur de vivre et une joie pure qui se sentent, qui se vivent. Nous sommes dans la droite ligne des aspirations de la maison Frescobaldi, à savoir: élaborer des vins distingués et élégants, toujours captivants par leur subtilité et leur harmonie d'ensemble. J'aime particulièrement la touche citronnée qu'un aspect très légèrement grillé, conféré par l'élevage en barrique, apporte ici. Un registre qui d'ailleurs devrait convenir à merveille en accompagnement d'une côte de porc à la milanaise. **CT** ★ ★ ★

CÉPAGES CHARDONNAY, PINOT BLANC

Vous avez aimé ce vin ? Vous pourriez aimer aussi
Torres Gran Vina Sol Chardonnay 2013, Soc. Vinicola Miguel Torres 17,95 $ – 00064774 – ★★★

Côtes-du-Rhône Blanc 2014

E. GUIGAL

France, Vallée du Rhône

SAQ 00290296

19,95$

Si ce blanc de la célèbre maison d'Ampuis constitue le quart des volumes de la production, le côtes-du-rhône blanc dans son ensemble n'en représente, lui, qu'à peine 3%. Histoire de se singulariser ou de flairer le meilleur en termes d'assemblage, toujours est-il que Marcel et Philippe Guigal tablent sur une proportion de 65% de viognier pour émanciper cette cuvée. Elle se distingue assurément! Vous pourriez légitimement penser que le viognier va tout emporter sur son passage et vous auriez raison. Mais il semble bien que bourboulenc, roussanne et marsanne lui répondent avec une audace qui le déculotte dignement. Ce blanc sec brille dans ce millésime. Grande clarté d'expression nuancée avec une touche florale, d'amande et de miel, le tout gagnant sans cesse en textures et en volume sur une finale exquise. À moins de 20,00$, ces messieurs nous font un cadeau particulièrement inspiré! **CT** ★ ★ ★

CÉPAGES VIOGNIER, ROUSSANNE, MARSANNE,

Vous avez aimé ce vin? Vous pourriez aimer aussi
Château Pégau Cuvée Lône 2014, Domaine du Pegau, France 19,20$ – 12131489 – ★★★

Chardonnay 2013

LIBERTY SCHOOL

États-Unis, Californie

SAQ 00719443

20,50 $

Comme ce guide est ouvert à tous les goûts, les miens comme les vôtres, il me semblerait présomptueux de prétendre détenir quelques vérités… même si le vin est bon. En effet, savoir reconnaître la qualité d'un vin est la pierre angulaire de toute dégustation, du moins dans l'exercice planifié de ce guide. Y greffer ensuite ses goûts personnels suit tout naturellement dans la foulée. Ce chardonnay ? Tout y est et rien ne manque. Le profil type du vin de la côte Ouest, nourri de soleil et élevé sous bois avec une légère ré-acidification au passage pour lui donner du zeste. Le résultat fonctionne et charme illico même si nous ne dépassons pas ici le vin dit de « boisson » par rapport au vin dit de « terroir ». Certains me diront que le terroir n'existe pas. Que c'est l'homme qui fait le vin, point barre. Pourquoi pas ! On en reparle une prochaine fois. **CT** ★★☆

CÉPAGE CHARDONNAY

Vous avez aimé ce vin ? Vous pourriez aimer aussi
Francis Coppola Diamond Chardonnay 2014, Francis Ford Coppola, États-Unis 22,45 $ – 10312382 – ★★☆

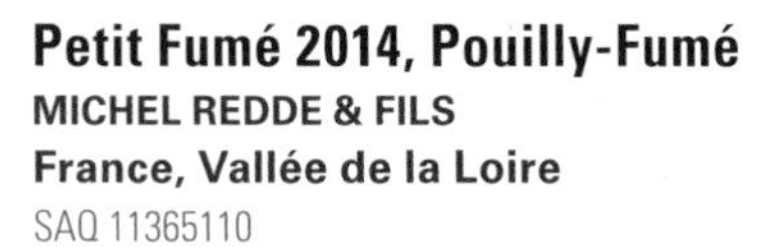

Petit Fumé 2014, Pouilly-Fumé

MICHEL REDDE & FILS

France, Vallée de la Loire

SAQ 11365110

20,55$

Pas de fumée sans feu. Pas de petit fumé sans Michel Redde. C'est écrit dans le ciel. C'est inscrit dans le terroir. Voilà une belle bouteille qui «fume», transpiration de terroir pour une inspiration minérale qui maintient la tension. Et l'attention. Le fruité y brille avec beaucoup de netteté, et il s'agit d'un fruité mûr, évidemment vivace et porteur, un fruité qui ne cesse de gagner en intensité, comme si on l'attendait ailleurs et qu'il fallait faire vite. Un blanc sec, bien droit, aux tonalités évoquant le pamplemousse et le poivre blanc, direct et impulsif, capable de faire s'ouvrir une huître juste en la regardant ou de transformer un poisson en *fish and chips* juste en nageant à ses côtés. Moins sensuel qu'un sancerre, moins charnu aussi, le pouilly-fumé offre en revanche une rencontre, un dialogue qui va droit au but. **CT** ★★★

CÉPAGE SAUVIGNON BLANC

Vous avez aimé ce vin? Vous pourriez aimer aussi
Morogues 2014, Domaine Henry Pellé, France
23,35$ – 00852434 – ★★★

Saint-Véran Combe aux Jacques 2013

MAISON LOUIS JADOT

France, Bourgogne

SAQ 00597591

22,00$

Le 2012 avait quelque chose de glissant, ni trop riche ni trop lourd, alors que le 2013 projette une densité supérieure, peut-être avec un peu moins de maturité. Voyez comme les millésimes se suivent et ne se ressemblent pas ! Le 2014, qui arrivera au cours de l'année, obtient pour sa part le meilleur des deux mondes, dans un superbe équilibre. Mais entendons-nous bien, nous ne sommes pas à pouilly-fuissé qui, lui, s'offre un cœur d'argile alcaline où le terroir aiguise le chardonnay comme un couteau de boucher. Ici, le cépage y est simple d'expression, à peine floral et citronné. Mais c'est en bouche que le fruité excelle, avec passablement de sève et de mâche. La fraîcheur y est, tout comme la rondeur, une touche d'amertume et une jolie longueur. Pas mal avec une blanquette de veau. **CT** ★ ★ ★

CÉPAGE CHARDONNAY

Vous avez aimé ce vin ? Vous pourriez aimer aussi
3 Grappes Blanches De La Chevalière 2014, Domaine Laroche, France 13,35$ – 10324615 – ★★☆

Château Mont-Redon Lirac 2014

ABEILLE-FABRE

France, Rhône

SAQ 12258973

23,55$

On sent le souffle puissant du géant châteauneuf-du-pape dans cette cuvée. Un peu comme avec le coudoulet blanc de la famille Perrin à Beaucastel. Un souffle puissant qui confère sève et densité, il est vrai, mais dont le gras semble aussi allégé par le goût de cailloux porté par le terroir. À ce prix, ce lirac est une affaire. Si le 2013 encore disponible est tout simplement formidable, le 2014, que j'ai dégusté au domaine en mai 2015 et qui arrive tout doucement en rayons, semble plus solide encore, plus capiteux. C'est la clairette qui donne le ton ici, éclatant d'un rire clair et contagieux, un rire que grenache blanc, roussanne et viognier modulent et enrichissent d'une jolie sève, à la fois friande et vineuse. L'impression qui se dégage souffle le chaud et le froid. Accompagnera bien poissons et crustacés en sauce, soupe de poisson ou tian d'aubergines. **CT** ★★★½

CÉPAGES CLAIRETTE, GRENACHE BLANC, ROUSSANNE

Vous avez aimé ce vin? Vous pourriez aimer aussi
Michel Grassier Les Piliers Viognier 2014, Michel Gassier, France 20,25$ – 10936785 – ★★★

Anselmi
Capitel Foscarino 2014

ANSELMI SRL

Italie, Vénétie

SAQ 00928218

24,70$

La cuvée San Vincenzo de Roberto Anselmi (17,05$ – 00585422 – ★★★) trouve sa place dans ce guide depuis maintenant 12 années et ce n'est pas un hasard. Elle compte parmi les quatre ou cinq maisons qui maintiennent les standards les plus élevés. Dans ce millésime 2014, elle n'a rien perdu de son lustre. Pour cette édition, c'est un autre cru de monsieur R qui fera partie de ce palmarès. Dans la droite ligne de la tradition vénitienne où une touche de sucre résiduel est laissée, voilà un garganega qui brille non seulement par sa finesse mais aussi par ses parfums subtils où melon, citron, safran et abricot se lovent autour d'une bouche suave, fraîche et satinée. Dans le monde de brutes où nous vivons, où l'homme a perdu ses belles manières, il fait bon retrouver une touche de civilisation... Délicieux avec une *piccata al limone*. **CT** ★★★☆

CÉPAGE GARGANEGA, CHARDONAY

Vous avez aimé ce vin ? Vous pourriez aimer aussi
Tedeschi Capitel Tenda Soave Classico 2014, Agricola F. lli Tedeschi, Italie 17,60$ – 11027794 – ★★★

Château de Maligny La Vigne de la Reine 2014

JEAN DURUP PÈRE ET FILS

France, Bourgogne

SAQ 00560763

24,75$

Ils sont blancs, jeunes, légers sans être frivoles et possèdent une intensité, un caractère avec tout ce qu'il faut de mordant, sans vous faire perdre votre dentier. Surtout, ils tiennent mordicus à vous donner la sensation de sucer des cailloux. Sans verser dans la chimie organique, de tels vins (combinaison cépage-terroir-climat présentant un pH faible – disons autour de 3,2 – combiné aux oligo-éléments minéraux locaux) ont tous en commun le mérite de faire saliver chacun et de chatouiller la soif. Ce chablis de monsieur Durup fils est de ceux-là. Moins étriqué que le 2013 à ce qu'il me semble, avec un volume fruité qui va au-delà du simple chablis, cette cuvée maintient bien le cap. Clarté, lisibilité, substance et toujours un fin ruissellement que le palais peine à retenir tant le fruit s'infiltre dans la fissure calcaire pour mieux la faire éclater. Du beau chablis !

CT ★★★

CÉPAGE CHARDONNAY

Vous avez aimé ce vin ? Vous pourriez aimer aussi
Domaine Séguinot-Bordet 2014, Domaine Séguinot-Bordet Père Fils, France 23,95$ – 00926899 – ★★★

Domaine de la Garenne 2014

DOMAINE DE LA GARENNE
France, Bourgogne
CODE SAQ 12178789

24,85 $

Une petite trentaine d'années seulement d'existence à titre de propriété mais des sols calcaires nettement plus anciens. Des coteaux bien exposés sont exploités par la famille Beaumont depuis 2008 avec la famille Devillard (Domaine des Perdrix, Domaine de la Ferté, Château de Chamirey, etc.) pour la production d'un blanc sec qui ne manque ni de subtilité ni de fougue minérale. Si le 2013, rapidement disparu des rayons, a trouvé ses fans pour louanger son tracé linéaire et sa belle vivacité, le 2014 démontre bien ce qu'un mâcon a dans le ventre, toutefois sans la rondeur habituelle qu'on rencontre dans les vins de l'appellation. Le registre floral est presque intime tant il est suggestif, alors que la bouche se dévoile par petites touches salines, vivaces, légères, spirituelles, aériennes. Un beau bourgogne à découvrir pour sa finesse, et son prix. **CT** ★★★

CÉPAGE CHARDONNAY

CARAFE

Vous avez aimé ce vin ? Vous pourriez aimer aussi
Saint-Véran 2013, Georges Dubœuf, France
21,70 $ – 00134742 – ★★☆

Selbach-Oster Riesling Kabinett Mosel-Saar-Ruwer 2012

WEINGUT SELBACH-OSTER

Allemagne, Mosel

SAQ 10750841

24,85$

Très sensible à nuancer à l'extrême les subtilités inhérentes aux nombreux terroirs de la Nahe, de l'Ahr, du Rheingau ou de la Moselle, par exemple, le riesling est plus disert encore quand il joue l'équilibriste entre les notions de sucré et d'acidité, qu'il intègre aussi naturellement à sa personnalité que le ferait un diplomate de carrière lors d'une rencontre protocolaire. Il est comme ça, le riesling germanique : habile mais contrasté. Une mécanique essentiellement articulée autour de deux pôles entre lesquels le vertige ne peine même plus à se justifier. De quoi vous donner des fourmis dans les joues, aurait dit Salvador Dali ! Ce riesling de chez Selbach-Oster sera peut-être difficile à dénicher, mais il vaut le détour. L'effet terroir est immédiat. Ici, ce sont par les schistes que la vague minérale arrive, dramatique, intense, catapultant le cépage au-delà de nos espérances. Une mécanique allemande bien huilée !

MT ★★★☆

CÉPAGE RIESLING

Vous avez aimé ce vin ? Vous pourriez aimer aussi

Gunderloch Fritz's Riesling 2013, Weingut Gunderloch, Allemagne 15,65$ – 11389015 – ★★☆

Conundrum 2014

CONUNDRUM WINES
États-Unis, Californie
SAQ 10921073

25 $

Avant de vous procurer ce vin, lisez son mode d'emploi. C'est important, car il s'agit d'un vin tendre, en d'autres mots, construit sur la douceur, avec une touche sucrée évidente. On est donc très loin d'un muscadet vertical ou d'un pouilly-fumé à vous faire claquer le dentier. Vous êtes prévenu. Plusieurs de mes collègues lèveront le nez sur cette cuvée. Dommage, car elle a ses avantages. Celui entre autres d'exceller avec la cuisine asiatique ou indienne ou, plus simplement, lorsqu'elle est bue avec un morceau de vieux cheddar. Histoire de contexte donc. Le registre est très aromatique, exotique même avec sa touche viognier-muscat qui domine d'une tête, apportant juste ce qu'il faut de rondeur et de vivacité. La finale est longue, bien nette, encore une fois parfumée à souhait. Servir tout juste sous la barre des 10 °C pour lui fournir le ressort nécessaire. **CT** ★★★

CÉPAGE CHARDONNAY, MUSCAT, SAUVIGNON BLANC

Vous avez aimé ce vin ? Vous pourriez aimer aussi
KWV Cathedral Cellar Chenin Blanc 2013, KWV (Pty) Ltd, Afrique du Sud 18,50$ – 12462827 – ★★★

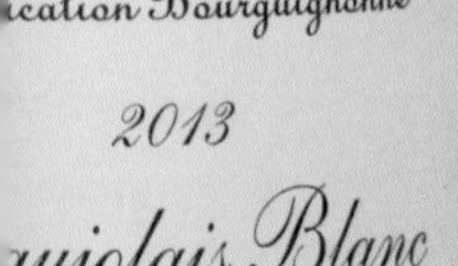

Beaujolais Blanc 2014, Terres Dorées

JEAN-PAUL BRUN

France, Bourgogne

SAQ 00713495

25,00$

Vingt-cinq dollars. Pas un sou de plus. Il aurait été dommage de l'écarter sous prétexte qu'il se place au-delà de la barre de mes choix à moins de 25$. De plus, il s'agit de Jean-Paul Brun, un vigneron que j'avais à l'époque invité à l'émission de Christiane Charette et qui avait abreuvé, mais surtout impressionné, l'équipe avec un blanc sec. Peu bavard, le monsieur, mais quel vin disert! Stylistiquement, celui-ci se rapproche d'un pouilly-fuissé par sa touche minérale de cailloux qui roulent en bouche, faisant du coup s'amplifier un fruité riche, opulent, délicieusement caressé par les douelles de la barrique neuve. La finale, à peine beurrée, se termine sur un goût de noisettes grillées. Ris de veau ou volaille à la crème… **CT** ★★★☆

CÉPAGE CHARDONNAY

Vous avez aimé ce vin? Vous pourriez aimer aussi
Albert Bichot Vieilles Vignes, Albert Bichot, France 18,20$ – 10845357 – ★★★

LE PORTRAIT BLANC

Frédéric Niger Van Herck

DOMAINE DE L'ÉCU EN MUSCADET

QUAND LE MELON EST UNE PASSION. Avant de parler de Frédéric Niger Van Herck, dit «Fred», du Domaine de l'Écu en Muscadet, je dois faire un détour par le... melon. Vous avez bien lu. Le melon. Donc, qu'est-ce qu'un melon? La terminologie étasunienne parle de melon de Bourgogne alors qu'il porte le nom de latran en Anjou, de plant de Bourgogne (ou petit Bourgogne) en Loire, de muscadet dans le Pays nantais, ou, encore de gamay blanc dans les environs de Lyon.

Le plus beau de l'affaire est que le melon, hormis en Californie où il est encore reconnu comme du pinot blanc, n'est pratiquement planté qu'en Loire-Atlantique, au sud-est de la ville de Nantes. Résistant au gel, avec un débourrement plus tardif que précoce, c'est sous le climat océanique tempéré, mais qui peut être plus rigoureux à l'intérieur des terres, qu'il trouve son bonheur. Pour les tatillons de toponymie et de statistiques, les quatre appellations que sont le muscadet, le muscadet-coteaux-de-la-loire, le muscadet-sèvre-et-maine et le muscadet côte-degrandlieu couvrent au total près de 12 000 hectares pour une production qui avoisine les 78 millions de bouteilles.

EN RÉSUMÉ. Le melon est essentiellement français. Le melon est un monocépage qui se débrouille très bien sans avoir à être assemblé. De plus, le melon produit un vin qui peut non seulement, dans les meilleures conditions qu'offrent les terroirs par rapport aux millésimes (1997, 1999, 2002, 2005, 2009, etc.), gagner en complexité et tenir sur plusieurs décennies, mais assurer des variations aussi subtiles qu'infinies quand vient le moment de passer à table.

Toutefois, le melon, bien que jouissant d'une belle popularité tout comme le fameux muscadet, souffre encore du préjugé qui veut qu'il ne soit qu'un p'tit blanc sympa tout juste bon à «déssoiffer» en série les badauds soudés au zinc des bistrots. Pour avoir dégusté, il y a une dizaine d'années, d'admirables 1937, 1947, 1959, sans compter les époustouflants 1976, 1985 et 1989 toujours bien droits dans leurs bottes, je n'ai personnellement pas de problème à m'arsouiller au bistroquet de votre choix!

Tout ce préambule sur le melon pour vous dire que je me suis tout de même arsouillé, mais avec modération, non seulement avec les vins, aussi avec les propos emballants de Frédéric Niger Van Herck, dit «Fred», du Domaine de l'Écu en Muscadet, lors de son passage au Québec cette année. L'homme, qui a tâté du droit avant d'ouvrir une boîte d'informatique, s'est replié sur sa passion première: le vin de muscadet.

Cette passion pour le vin l'amène à fréquenter un homme d'exception qui deviendra rapidement son mentor: Guy

Bossard, adepte de la biodynamie depuis 20 ans et vigneron biologique depuis deux fois 20 ans. Ce dernier cède graduellement les rênes de son domaine de 23 hectares, dont trois consacrés au rouge, à Fred. Cette relation établie depuis 2009 est aussi organique que nourrissante pour l'ex-informaticien qui, pour l'occasion, passe son BTS vitieono. Il est vrai que ce diplôme assure la «base», mais l'homme l'enrichira rapidement des conseils du maître sur le terrain.

Si la cuvée en pinot noir «Ange» est ample et juteuse, d'une incomparable pureté, les muscadets, eux, sont parmi les meilleurs dégustés à ce jour. Surtout, ils ont une identité propre, un caractère bien à eux. La cuvée Granite 2011 (22,25 $ – 10282873 – ★★★✯), plus ouverte sur le plan aromatique que la cuvée Orthogneiss, offre détails et nuances, d'une part, et une fluidité saline surprenante, d'autre part, alors que l'**Expression de Gneiss 2011** (22,10 $ –10919150 – ★★★✯), plus riche, propose un solide cœur fruité sur une matière minérale dense, puissante, longue en bouche. Quant à la cuvée **Classique** (pas encore disponible chez nous), voilà un muscadet incarné dans un fruité net et précis, droit et d'une sobriété exemplaire.

L'héritage dont dispose Frédéric Niger Van Herck est précieux. Il s'inscrit surtout dans une démarche logique, mais pas informatique, incontournable pour le vin vrai, vivant et sain. Un héritage que sa passion perpétue désormais et qui rejoint celle de ses collègues Nicolas Joly, Gonon, Foucault, Auvernoy et autres Léon Barral. J'ai grand respect pour celui qui va au bout de ses rêves, de sa passion. D'autant plus quand cela se savoure !

LES 100 MEILLEURS VINS À MOINS DE 25 $

LES ROUGES

La couleur du vin rouge provient essentiellement de la peau et des pépins du raisin noir.

D'environ sept jours pour le vin nouveau à plus de trois semaines pour les crus de Bordeaux, cette période de macération permet l'extraction naturelle de polyphénols (anthocyanes et tannins) qui auront un effet non seulement sur la couleur, mais aussi sur le corps et notamment la charpente du vin.

Alors que le blanc joue sur la rondeur, la suavité, le moelleux ou le gras, le rouge, lui, parle de souplesse, de structure plus ou moins tannique, de corps plus ou moins affirmé et d'astringence plus ou moins marquée. La force de l'alcool agira sur la texture tout en arrondissant les tannins du corps et en lui donnant ainsi tout le poids voulu. De cette façon, le vin sera léger ou de constitution moyenne, ou encore, corsé. Différents profils gustatifs s'imposent alors. Tannins tendres, veloutés, fondus, enrobés et mûrs ; tannins qui ont du grain, du relief, de l'épaisseur et de la mâche ou, dans les cas moins heureux, tannins secs, durs, astringents, rébarbatifs, anguleux, ou encore carrés et austères.

La relation entre les divers éléments du trio sucre-acidité-alcool du blanc évolue donc, en rouge, sur un quatuor sucre-alcool-acidité-tannins. Leurs «arrangements» seront responsables de la physionomie harmonieuse, ou non, du vin. Ainsi, un rouge léger sera-t-il léger en tannins et en alcool, et pourvu d'une bonne acidité, alors qu'un rouge de garde présentera un indice tannique élevé, amené à se réaliser pleinement sur un degré d'alcool qui s'assume. L'acidité se chargera de maintenir le candidat bien éveillé.

LE SAVIEZ-VOUS ? Les tannins présentent un effet cumulatif en bouche, c'est-à-dire que vous aurez l'impression que le vin devient de plus en plus tannique au fur et à mesure que vous le buvez. Rappelez-vous que la première impression est toujours la meilleure. De plus, une acidité excessive renforce l'impression de tannicité dans les vins dotés d'une forte trame tannique. Un vin tannique paraîtra toujours plus souple et rond lorsqu'il sera soutenu par un haut degré d'alcool et une acidité basse.

AU SUJET DE L'AMERTUME. L'amertume laissée au palais en fin de bouche n'est pas nécessairement un défaut, elle peut au contraire participer à la personnalité et à la longueur du vin en bouche. Ne pas la confondre avec l'amertume plus «verte» et végétale qui provient de raisins manquant de maturité ou issue de macérations trop poussées.

À TABLE. Inutile de préciser que les mets auront intérêt à glisser dans le sens du poil afin de ne pas hérisser la «pilosité» tannique du vin rouge. Il vous manque, comme à moi, quelques notions de chimie organique pour expliquer les relations intramoléculaires complexes qui motivent entre elles les nombreuses bases alimentaires? Laissez-vous guider par votre instinct!

L'association par couleurs – poulet, porc, veau, pâte, fondue, poisson, homard, sauces blanches avec les vins blancs, et viandes rouges, charcuterie, gibier, sauces rouges avec les vins rouges – semble une base pertinente pour asseoir vos bourgeons gustatifs. Vos sentiments sont plus mitigés quant au canard, au lapin, à l'autruche, au foie gras ou au pâté chinois? Osez les couleurs et jouez d'audace sur les densités, les onctuosités, les fraîcheurs et autres bases associatives dans lesquelles les parfums se retrouvent, se lovent et s'exaltent mutuellement.

Pour ma part, j'avoue être à l'aise d'accompagner le poulet rôti, la tête de veau, les rillettes, les lasagnes, le croque-monsieur ou notre pâté chinois national avec les Jeunes vignes du Xinomavro 2013 du Domaine Thymiopoulos (17,95$ – 12212220 – ★★★); le beaujolais brouilly Château de la Chaize 2013 (19,65$ – 00565663 – ★★★); le Valpolicella Capitel della Crosara 2013 (17,55$

– 10705178 – ★★★); le Merlot Divinum Grenache 2013 (12,45$ – 11975225 – ★★✫) ou encore le Chianti II Ducale 2011, de Ruffino (19,75$ – 11133204 – ★★★).

Préférez avec la paella, la dinde farcie et les côtes de porc grillées, le Vitiano 2013, de Falesco, en Ombrie (16,95$ – 00466029 – ★★✫); le Grenache 2013 Artazuri (15,45$ – 10902841 – ★★✫); le Santi Nello Pinot Nero 2014, de Botter (11,65$ – 11254313 – ★★) ou, encore, le Merlot Cabernet 2012 de J. P. Chenet (13,95$ – 00485557 – ★★).

Vous célébrez avec une bavette grillée, une côte de veau grillée, un lapin à la moutarde ou des pâtes tomates-olives noires-parmesan? Alors débouchez un Douro 2013 de Lavradores de Feitora (14,85$ – 11076764 – ★★✫); un barbera-d'alba Raimonda 2013, de Fontanafredda (16,95$ – 11905606 – ★★✫); un Cahors Château Saint Didier Parnac 2013 (16,90$ – 00303529 – ★★✫); un côtes-du-rhône Réserve Perrin 2013 (16,80$ – 00363457 – ★★✫); un bergerac Château Grinou Réserve Merlot 2012 (17,55$ – 00896654 – ★★★); un rosso di montalcino 2012, de Caparzo (19,25$ – 00713354 – ★★★); ou encore, un fronton Château de Montauriol Prestige 2013 (18,10$ – 11343359 – ★★★).

Pour les grands soirs, évidemment, avec une entrecôte à la bordelaise grillée, du gigot d'agneau à gogo, ou encore, un magret de canard aux cerises, pourquoi ne pas passer en carafe un zinfandel Cline Ancient 2012 (22,20$ – 11089830 – ★★★); un Conundrum 2012 (24,95$ – 12095570 – ★★★); un châteauneuf-du-pape Château de la Gardine Tradition 2012 (37,50$ – 00022889 – ★★★); un douro Casa Ferreirinha Vinha Grande 2011 (19,25$ –

00865329) ; un coteaux-du-languedoc Grand Terroir La Clape 2011 de Gérard Bertrand (19,80 $ - 12443511 - ★★★), ou encore un chilien Errazuriz Syrah Max Reserva Syrah 2013 (18,95 $ - 00864678 - ★★★) ?

Les gens pour qui le mot « végétarien » est une anomalie, puisqu'ils préfèrent encore les rognons sautés, le steak BBQ, le tournedos ou le risotto aux truffes, ne seront pas déçus avec le côte rôtie Les Essartailles 2011, des Vins de Vienne (72,00 $ - 11600781 - ★★★★) ; les barolos Fratelli Alessandria 2009 (44,25 $ - 12383854 - ★★★✫) et Pio Cesare Ornato 2010 (94,75 $ - 10271146 - ★★★★) ; les madirans Vieilles Vignes 2009, de Peyros (20,10 $ - 00488742 - ★★★) et Château Bouscassé 2010, de Brumont (21,25 $ - 00856575 - ★★★✫), ou encore ces grosses pointures que sont les amarone-della-valpolicella Luigi Righetti Amarone 2011 (29,25$ - 00976183 - ★★★), Masi Costasera 2012 (42,25 $ - 00317057 - ★★★✫) et Nicolis 2008 (52,50 $ - 11028324 - ★★★★). N'oubliez pas en fin de repas de servir ces « gentils géants » de Vénétie avec des copeaux de *parmigiano reggiano*, rien de plus !

N.A.R.I. 2012

FIRRIATO DISTRIBUTIONE

Italie, Sicile

SAQ 11905809

10,95$

Le 8 mars 2013, je faisais déguster ce vin, dans le millésime 2010, à 20 personnes lors d'une dégustation à l'aveugle, parmi un brouilly, un gigondas et autres rouges de Provence. J'écrivais alors: «Le vin le moins cher du lot, soit le N.A.R.I. 2010, de la maison Firriato, à 13,95$, a de loin remporté l'unanimité. Au moins, ici, la vérité... est dans le verre!» Non seulement le 2012 tient ici ses promesses, mais quelqu'un quelque part a eu le culot d'en baisser le prix. S'il n'y avait que cela, mais non. Ce rouge est franchement bon. Des tannins abondants, un brin rustiques certes, et un fruité qui affiche une expression franche, judicieusement «ventilée» par un élevage court sous bois. Le mariage nero d'avola-petit verdot fonctionne, exigeant tout de même de passer à table avec quelques victuailles roboratives pour mieux briller. **CT** ★★☆

CÉPAGES NERO D'AVOLA, PETIT VERDOT

Vous avez aimé ce vin? Vous pourriez aimer aussi
Colonia Las Liebres 2014, Altos las Hormigas, Argentine 16,20$ – 10893421 – ★★☆

Coto de Hayas 2013

BODEGAS ARAGONESAS

Espagne, Aragon

SAQ 12525111

11,20 $

Vous pourriez lever le nez sur ce rouge produit en gros volume, mais celles et ceux qui en ont vraiment, du nez, et qui veulent s'amuser ferme à petit budget entre amis autour de côtes levées, de saucisses d'agneau ou d'ailes de poulet grillées, avaleront à grands traits ce rouge pas du tout compliqué et vachement savoureux. Preuve s'il est encore besoin que l'Espagne est reine dans ce créneau des vins qui ont de la gueule, qui sont impeccablement vinifiés et à des prix très démocratiques. Depuis 1984, le grenache est le fer de lance de cette maison qui possède au total quelque 3 700 hectares de vignobles, avec une impressionnante gamme de vins taillés pour satisfaire la demande. Je retiens ici un vin au fruité net qu'une part de macération carbonique vive fait rebondir avec éclat, une bouche souple, vivante, plutôt corsée, simple, mais d'une franchise sans faille en finale.
CT ★★☆

CÉPAGES GRENACHE, SYRAH

Vous avez aimé ce vin ? Vous pourriez aimer aussi
Vina Bujanda Crianza 2012, Finca Valpiedra, Espagne 15,95 $ – 11557509 – ★★☆

Meia Encosta 2013

SOCIEDADE DOS VINHOS BORGES SA

Portugal, Beiras

SAQ 00250548

11,90$

On va faire un petit calcul. Comme ça, histoire de broyer du préjugé. 1) À moins de 40$ les trois litres, ce qui équivaut à un peu moins de 10$ la bouteille de 750ml, vous pouvez déjà inviter les amis grecs déprimés par leur économie et ainsi leur remonter le moral. 2) Vous avez l'assurance de préserver de l'oxydation votre pinard, même pendant plusieurs semaines au frigo. 3) Vous avez une garantie de «mise en boîte» à l'origine, dans le pays de production. 4) Vous bénéficiez d'une date «d'ensachage» tout comme d'une date de péremption. 5) Vous avez dans votre verre un rouge net et léger, souple et coulant, simple d'expression au nez comme en bouche, et qui a de la personnalité, des tannins au relief nécessaire pour calmer le chorizo et plaquer au sol le poulet rôti à la portugaise. Bref, vous n'avez pas un gros rouge qui tache mais un bon rouge plutôt attachant. Comme les Portugais d'ailleurs. Encore des préjugés? **CT** ★★☆

CÉPAGES TOURIGA NACIONAL, JAEN, ALFROCHEIRO

Vous avez aimé ce vin? Vous pourriez aimer aussi
Cistus 2013, Quinta do Vale da Perdiz Soc. Agr. Lda, Portugal 12,50$ – 10841161 – ★★

Meia Encosta 2013
3 litres
SAQ 11462059

39,75 $

L.A. Cetto 2013

VINICOLA L.A. CETTO

Mexique, Basse-Californie

SAQ 00429761

12,60$

Quand je vais au Mexique, ce n'est pas pour y boire du vin. Plutôt des cocktails. Pour tout vous avouer, ma connaissance des vins mexicains y est peu étendue. Et comme l'offre au Québec est lilliputienne… Cela dit, ce classique des rayons, même s'il n'entre pas dans mes cordes et est rarement au programme de mes dégustations, offre une perspective intéressante du cépage petite syrah. Les amateurs de rouges riches et capiteux, avec des tannins gras et abondants, seront ici comblés. Le fruit y est comme une huile essentielle qui ferait perdre la tête à un oiseau-mouche qui succomberait à la robe rubis de ce rouge d'une grande douceur au palais même s'il est, chimiquement, bien sec (2,2 g/L). Passez-le en carafe une bonne heure avant de le servir à 14 °C avec des empanadas bien bourratives. Simple mais équilibré. **CT ★ ★**

CÉPAGE PETITE SYRAH

Vous avez aimé ce vin ? Vous pourriez aimer aussi
R.H. Phillips Syrah 2013, États-Unis, Californie, 14,20$ – 00576272 – ★★

Bonpas Grande Réserve des Challières 2013

BONPAS

France, Vallée du Rhône

SAQ 12383352

14,95 $

Nous sommes ici au plus méridional, sur des terrasses quaternaires avec galets roulés, là où l'Ordre des Chartreux fondait un monastère en 1318. Il fait chaud, la luminosité est importante, plus de 2500 heures d'ensoleillement, ai-je appris lors de mon passage. Bonpas ? Vous aurez vu la marque en rayons sur de nombreux produits dont ce superbe vacqueyras Silbertus 2013 (24,30 $ – 11676655 – ★★★) même s'il y manque encore des ventoux, des lubéron et autres châteauneuf-du-pape. La maison achète des vins à titre de négociant éleveur parmi une pléthore de vignerons fidèles et consciencieux, et elle assemble le tout du côté de Sorgues avec une mise en bouteille en Beaujolais. Toutes ces manipulations abîment-elles le vin ? Pour tout vous dire, la gamme au complet, quoique « sage » dans l'expression, est d'une excellente qualité, avec une perception de particularité régionale sur chacune des appellations. Solide fruité pour le côtes-du-rhône, avec beaucoup de présence, de tenue. Un 80 % grenache qui s'assume ! **CT** ★★☆

CÉPAGES GRENACHE, SYRAH, MOURVÈDRE

Vous avez aimé ce vin ? Vous pourriez aimer aussi
Ortas Tradition 2013, Cave de Rasteau, France
17,15 $ – 00113407 – ★★☆

Soli 2013

EDOARDO MIROGLIO

Bulgarie, Vallée Thracian

SAQ 11885377

14,45$

C'est inscrit dans le ciel: les amateurs de Cros Parantoux, de La Romanée ou de Clos de Tart passeront leur chemin en levant dédaigneusement le nez sur cette cuvée. C'est leur choix, bien qu'il convienne de dire que le trio précité est une source d'émotions à peine dissimulées. J'insiste, servi à 14°C avec une petite caille juste rôtie, ce vin n'est vraiment pas à dédaigner. Bref, j'aime le profil simple et bien net de ce pinot qui badine légèrement avec son fruité tendre, à peine épicé par l'élevage sous bois. Un joli rouge qui prouve bien que s'il reste encore à faire du point de vue de la sélection clonale dans ce pays, il y a des hommes qui savent faire leur travail tout en respectant la fragilité même de ce cépage capricieux. Des espions me confirment que le 2014, auquel je n'ai pas encore goûté, n'est pas non plus piqué des hannetons. **CT** ★ ★ ☆

CÉPAGE PINOT NOIR

Vous avez aimé ce vin? Vous pourriez aimer aussi
Santi Nello 2014, Casa Vinicola Botter Carlo et C. SPA, Italie 11,65$ – 11254313 – ★★

Cabernet Sauvignon Réserve 2014

BODEGAS TRAPICHE

Argentine, Mendoza

SAQ 00323295

14,95 $

Certains lèveront sans doute le nez sur ce rouge qu'ils semblent connaître depuis Mathusalem. Pourtant, dans la série « Je revisite mes classiques », ils pourraient être plus, ouverts d'esprit. Dans l'ombre du Chili, l'Argentine produit tout de même une gamme de vins de très bonnes qualité, à des prix modestes et dont les répercussions sur la croissance de l'industrie empêchent pour le moment toute revitalisation. La concurrence est rude. Payeriez-vous deux dollars de plus pour ce vin ? Il les vaudrait pourtant, vu l'offre actuelle dans cette fourchette de prix. Alors, ce vin ? Un franc nez de cabernet, bien net, découpé sans devoir emprunter les béquilles du fût de chêne pour s'affirmer, un fruité mûr, étoffant un milieu de bouche fort bien constitué, bien frais, avec une jolie finale épicée. N'y cherchez pas le détail ou la profondeur, mais plutôt un vin bien en selle, capable de galoper sur des côtes levées (pas trop sucrées) ou un sandwich au porc effiloché. **CT** ★★☆

CÉPAGE CABERNET-SAUVIGNON

Vous avez aimé ce vin ? Vous pourriez aimer aussi
Clos de los Siete 2012, Michel Rolland, Argentine 26,60 $ – 10394664 – ★★★☆

Marius 2014

M. CHAPOUTIER

France, Languedoc-Roussillon

SAQ 11975196

14,95$

Pour mettre cartes sur table, avouons que l'arrière-grand-père de Michel Chapoutier ne parlait pas à travers son chapeau! Sans doute parlait-il peu, comme tous les anciens, car le poids des mots avait alors son importance. Vrai que, «un bon vin est celui que l'on a envie de regoûter», comme il le disait. Ainsi d'une belle femme qu'on a envie de revoir. Amis lecteurs, vous avez l'année devant vous – ou du moins jusqu'à la parution du Guide 2017 – pour faire les deux. Ici, deux cépages, aussi complémentaires que Laurel et Hardy ou Leitao et Coiteux (mais en moins rigolos). Deux cépages visiblement heureux de leurs origines, surtout traités pour aller chercher le maximum de fruité tout en conservant un minimum de dignité. Bref, servi à peine rafraîchi, voilà un candidat de constitution moyenne qui fera le bonheur d'une saucisse de Toulouse grillée. **CT** ★★☆

CÉPAGES GRENACHE, SYRAH

Vous avez aimé ce vin? Vous pourriez aimer aussi
Réserve Perrin 2013, Domaines Perrin, France
16,80$ – 00363457 – ★★★

Terres de Méditerranée 2013

DUPÉRÉ BARRERA

France, Pays d'Oc

SAQ 10507104

15,15 $

Le tandem Dupéré Barrera a récemment obtenu le trophée de négociant de l'année décerné par *La Revue du Vin de France.* C'est dire le respect que la Québécoise Emmanuelle Dupéré et son conjoint Laurent Barrera vouent aux fruits qu'ils livrent sur le marché à titre de négociants-vinificateurs-éleveurs. Du cousu main, avec une idée très précise de ce qu'ils veulent. Au moment d'écrire ces lignes, en août 2015, il y avait huit produits accessibles : les Nowat rouge 2011 (26,65 $ – 10783096 – ★★★✫) et blanc 2012 (23,25 $ – 11457313 – ★★★), le Bandol rosé Cuvée India 2013 (24,40 $ – 11900805 – ★★★✫), le Bandol rouge Cuvée India 2011 (27,70 $ – 10884575 – ★★★✫) et un Côtes-du-Rhône Villages 2014 qui était dans le Guide Aubry 2015 (18,80 $ – 10783088 – ★★★). On se régale avec le fruité juvénile, simple, svelte, d'excellente tenue de cette cuvée Méditerranée ! **CT** ★★✫

CÉPAGES CABERNET-SAUVIGNON, GRENACHE, SYRAH, CARIGNAN

Vous avez aimé ce vin ? Vous pourriez aimer aussi
Costières-de-Nîmes 2013, Dupéré Barrera, France 19,40 $ – 10936021 – ★★★

La Chevalière 2014

LAROCHE

France, Pays d'Oc

SAQ 10374997

15,45$

L'échantillon du 4 juin 2015, dégusté fin août, a libéré un tel fruité après l'ouverture de la capsule à vis que la pièce tout entière était baignée par l'ambiance de la région de Béziers. Un vent de fraîcheur, une brise de fruit, séduisante et sautillante, d'un charme certain, sont venus me rappeler que l'été avait encore quelques beaux jours devant lui. Entendons-nous ici sur le fait que nous sommes en présence d'un vin primeur dans lequel le caractère fruité et singulier du pinot noir s'efface quelque peu devant une vinification réglée pour en décupler l'aspect fruité. Sans compter que la capsule dévissable (dont la maison a été le précurseur en France) ajoute à cette impression d'intégrité fruitée qui est d'une incontestable franchise. Un rouge juvénile, léger, bien vivant, sans une once de boisé, qui accompagnera, à peine rafraîchi, une myriade de plats simples.
CT ★★☆

CÉPAGE PINOT NOIR

Vous avez aimé ce vin? Vous pourriez aimer aussi
Champs Perdrix 2012, Maison Chandesais, France 19,75$ – 00721134 – ★★

Monastrell Vieilles Vignes 2014

BODEGAS HIJOS JUAN GIL S.L.

Espagne, Murcia

SAQ 10858086

15,50$

Non pas que je sois paresseux, mais je ne serais pas tenté de faire les vendanges du côté de Jumilla, dans cette propriété familiale centenaire. Trop éprouvant et puis, à mon âge, j'adore me contenter de boire les vins ! Pays de contrastes donc, chaud le jour, frais la nuit, infernal en été, glacial en hiver. Pays du mourvèdre, à la solide couenne de cuir, aimant la chaleur et pouvant vivre de peu d'eau. Et de beaucoup d'amour. Je connais des irréductibles de ce rouge solide et parfumé, des gens qui ne jurent que par la force «civilisée» des tannins, abondants et bien serrés mais jamais grossiers ni réprobateurs sous le couvert de l'acidité. Des amateurs qui sont toujours étonnés du doux prix de ce vin sec, corsé, sans concession. Bref, un rouge authentique bourré de caractère, élevé avec beaucoup de doigté en barrique (quatre mois), parfaitement équilibré, à défaut peut-être de profondeur et de complexité. Agneau braisé ? **CT** ★★☆

CÉPAGE MONASTRELL

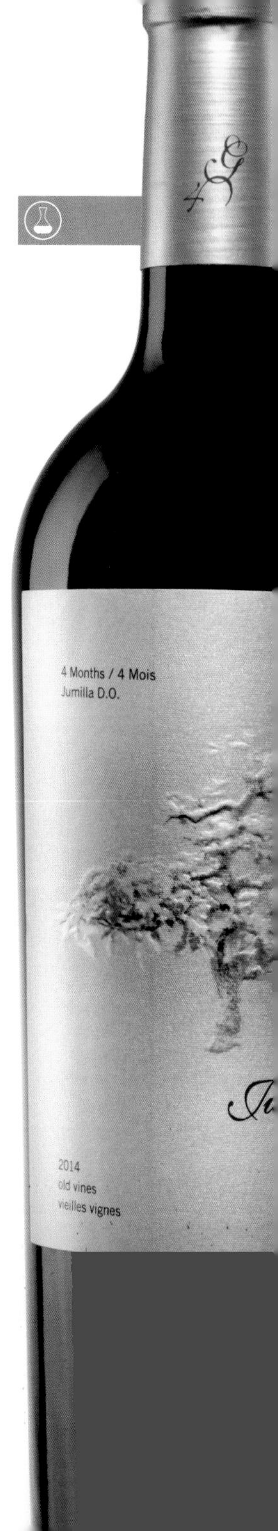

Vous avez aimé ce vin ? Vous pourriez aimer aussi
Les Comtes de Cahors 2013, Georges Vigouroux, France 15,55 $ – 00315697 – ★★☆

Casa de la Ermita Crianza 2011

BODEGAS Y VINEDOS CASA DE LA ERMITA

Espagne, Murcia

SAQ 00638486

15,95$

La qualité des millésimes semble couler comme de l'eau sur le dos d'un canard, tant les variations qualitatives sont infinitésimales. Souvenez-vous du 2010, parfaitement à point, avec un profil détaillé étonnant pour un vin de ce prix. Le 2011 ne rompt pas avec la tradition. Dégusté encore une fois à l'aveugle avec ses collègues de l'appellation jumilla, ce solide rouge s'est imposé d'une tête. Bien sûr, ce trio de cépages donne le ton avec un panache certain. On a tout de même réussi à cumuler les indices tanniques de chacun sans pour autant offrir une bouche réfractaire au plaisir de poursuivre la dégustation et... de finir la bouteille. Couleur, corps, puissance, fraîcheur, structure et une pointe d'astringence bénéfique : tout y est. Vin de soir pour plats rustiques de type chiche kébab de porc ou de bœuf ou burger de bison. Miam. **CT** ★★☆

CÉPAGES MONASTRELL, CABERNET SAUVIGNON

Vous avez aimé ce vin ? Vous pourriez aimer aussi

Viña Collada 2013, Bodegas de Los Herederos Marqués de Riscal, Espagne 17,30$ – 11469761 – ★★☆

Lo Sang del Païs Marcillac 2014

DOMAINE DU CROS

France, Sud-Ouest

SAQ 00743377

16,25$

Hormis le plus que détestable bouchon Nomacorc qui insiste vraiment à ne pas vouloir réintégrer le goulot après usage, ce qui entraîne malencontreusement une absorption plus que modérée d'alcool, ce rouge est tout simplement formidable. Surtout servi frais avec un museau de porc, des oreilles de crisse, un jésus de Morteau ou une andouille de Vire. Mais il est tout aussi convenable avec un pâté chinois. Formidable parce qu'il évite les lieux communs, avec un fruité unique qui paraîtra à certains rustique et déplacé alors que d'autres se régaleront de la façon qu'il a de s'agripper sans en avoir l'air à un palais qui ne demande que ça. Fraîchement, franchement, sans détour. C'est cette candeur, cette originalité, ce retour aux sources que je célèbre avec ce 2014 pas piqué des hannetons ! **CT** ★ ★ ★

CÉPAGE FER SERVADOU

Vous avez aimé ce vin ? Vous pourriez aimer aussi
Château La lieue 2014, Jean-Louis Vial, France, 14,20 $ – 00605287 – ★ ★ ★

Masciarelli 2013

AZIENDA AGRICOLA MASCIARELLI
Italie, Abruzzes
SAQ 10863774

16,35$

Ce rouge aussi rustique que goûteux se rapproche, dans le fond comme dans la forme, des ripasso de Vénétie dans lesquels l'amertume se mêle aux sucres résiduels pour apporter plus de chair encore à la matière fruitée. Difficile tout de même de résister, pour qui s'aventure au prochain repas vers un spaghetti boulettes de viande que sa mère, sa douce moitié ou son colocataire gourmet lui a préparé. La robe est profonde comme la nuit, elle «vermillonne» aux pourtours comme des lucioles affolées par l'obscurité alors que les arômes de cerises en compote et d'herbes aromatiques font le reste. La bouche, elle, est séduisante et en offre pour son argent. Le contraste sec-doux-amer présente une mise au point idéale, alors que le milieu de bouche consistant, étoffé et de constitution moyenne, en remet une couche si fruitée que vous voilà bien repus. J'aime. **CT** ★★★

CÉPAGE MONTEPULCIANO

Vous avez aimé ce vin? Vous pourriez aimer aussi
La Cuvée dell'Abate 2014, Azienda Agricola Ciccio Zaccagnini, Italie 18,30$ – 00908954 – ★★★

Pinot Noir Reserva Especial 2014

VINA CONO SUR

Chili, Aconcagua

SAQ 00874891

16,40$

Cette maison, qui démarrait ses activités en 1993, a fait d'immenses progrès depuis. Le dynamisme y est palpable, la réflexion aussi, comme j'ai pu le constater en novembre 2014, au cours d'une visite en compagnie de Matias Rios, l'un des œnologues de la maison. «Pour le pinot noir, c'est pas compliqué, 50% se passent dans le vignoble et 50% dans la partie vinification», me dira ce dernier devant une gamme de pinots noirs dont la maison semble de plus en plus s'enticher. Outre la version haut de gamme Ocio (n.d.) du niveau d'un 1er cru bourguignon, ne vous privez pas de la version bio Organico (16,45$ – 11386877 – ★★★), du Single Vineyard (19,95$ – 10694309 – ★★★) et du 20 Barrels (30,25$ – 11331745 – ★★★½), qui déclinent tous un profil particulier de pinot. Servi frais, le Reserva Especial qui nous intéresse est doté de bons tannins, mûrs et sphériques, épaulés par une touche fumée apportée par l'élevage. Simplement délicieux avec des cailles ou même un magret de canard.
CT ★★★

CÉPAGE PINOT NOIR

Vous avez aimé ce vin ? Vous pourriez aimer aussi
Max Reserva 2013, Vina Errazuriz SA, Chili
19,95$ – 11192095 – ★★★½

The Wolftrap 2014

BOEKENHOUTSKLOOF

Afrique du Sud, Western Cape

SAQ 10678464

16,80$

Il y a plusieurs années, j'ai fait un périple dans la Franschhoek Valley, sans savoir à quoi m'attendre. Sur place, des cuves de toutes formes, y compris une forme d'œuf en béton lisse que je voyais pour la première fois. Et un œnologue (Mark Kent) plus dynamique encore qu'une locomotive lancée à 300 kilomètres par heure. J'espérais fortement, après dégustation, revoir ces vins au Québec, où ils trouveraient une niche favorable. Mission accomplie! Les cuvées Porcupine Ridge (17,85$ – 10678510 – ★★✫) et The Chocolate Block (40,00$ – 10703412 – ★★★✫) complètent, entre autres, la version en blanc (16,80$ – 11605734 – ★★★) de ces Wolftrap tous aussi recommandables les uns que les autres. Ce «piège à loup» n'est certainement pas un piège à cons. La syrah, dominante à 87%, est ici associée à l'ensemble avec doigté. C'est une syrah mûre et subtile quant à sa précision, sans surmaturité. Le tout est bien sûr costaud et ventilé par une acidité et une trace d'amertume afin de bien porter le vin en bouche sans l'intimider. Un régal sur les braisés de toutes sortes. **CT** ★★★

CÉPAGES VIOGNIER, CHENIN BLANC

Vous avez aimé ce vin? Vous pourriez aimer aussi
Laborde Double Select Syrah 2012, Luca Winery, Argentine 21,95$ – 10893877 – ★★★

Broquel 2013

BODEGAS TRAPICHE

Argentine, Mendoza

SAQ 10318160

16,95$

On sent son propre poil pousser sur son torse seulement à humer ce malbec tant il y a de la testostérone dans l'air! L'image fera sourciller, mais voilà, ce rouge demeure une bête de fruits, quel qu'en soit le millésime. Un rouge qui n'a rien à envier au *black wine* de Cahors tant il en retient la robe profonde, noire comme un corbeau tapi dans une mine de charbon, tant il en retient aussi le profil aromatique capiteux, très fruit noir encore une fois. Ça se corse en bouche, car derrière des tannins mûrs et abondants, les saveurs arborent un moelleux, une vigueur et un profil sphérique qui ajoutent à la palatabilité d'ensemble. La finale demeure harmonieuse et bien fraîche avec des notes poivrées, presque de la famille de la réglisse. «Mangez-le» avec un cassoulet, par exemple. **MT** ★ ★ ★

CÉPAGE MALBEC

Vous avez aimé ce vin? Vous pourriez aimer aussi
Château Eugénie 2012, Jean et Claude Couture, France 15,70$ – 00721282 – ★★✯

Château de Jau 2012

GAF CHÂTEAU DE JAU
France, Languedoc-Roussillon
SAQ 00972661

16,95$

On aurait souhaité un peu plus de densité et ça n'aurait pas nui, mais, en même temps, la densité qu'il a ne nuit pas non plus. Vous me suivez ? En fait, ce rouge ne se construit pas sur la puissance et la structure mais plutôt sur l'expression fraîche et florale du fruit que des terroirs fortement minéraux, tout près de la frontière espagnole, affirment en leur donnant des ailes. Une légèreté sur une puissance moyenne si l'on veut, que des tannins fins et parfumés relancent, comme un coup de mistral ou de tramontane en plein visage. Bref, voilà un rouge de caractère fort civilisé qui, servi autour de 14 °C, sera délectable avec une aubergine à la parmesane comme avec des côtes d'agneau grillées au thym. **CT** ★★★

CÉPAGES SYRAH, MOURVÈDRE, GRENACHE

3 119460 000295

Vous avez aimé ce vin ? Vous pourriez aimer aussi
Château de Nages Vieilles Vignes 2013, Michel Gassier, France 19,95$ – 12268231 – ★★★

Manor House 2012

NEDERBURG WINES

Afrique du Sud, Western Cape

SAQ 11676313

16,95 $

Même prix, même impression, même constat que l'année dernière. Ce vin assure bien et sait se tenir, à prix tout à fait correct, quel qu'en soit le cépage. Ce cabernet sauvignon se suffit à lui-même et exprime, avec ses analogies végétales-fumées-boisées, l'archétype classique du cépage. Bien sûr, il est puissant, mais là encore, la qualité des tannins fruités et la fraîcheur d'ensemble semblent faire oublier qu'il est avant tout un vin de soleil. Quelque chose le ventile de l'intérieur, une respiration essentielle à sa dynamique. Plus svelte qu'un cabernet californien mais plus riche que son collègue bordelais, le cépage marque des points par la précision de son fruit l'élevage boisé porte toujours avec intelligence. Bref, voilà un vin qui s'invite au bal même s'il est désargenté et qui offre des traits d'esprit de haut vol. Filet mignon ? **CT** ★ ★ ★

CÉPAGE CABERNET-SAUVIGNON

Vous avez aimé ce vin ? Vous pourriez aimer aussi
Brentino 2014, Maculan, Italie 19,35 $ – 10705021 – ★★★

Château Pesquié Terrasses 2013

SCEA CHÂTEAU PESQUIÉ
France, Rhône
SAQ 10255939

17,05$

La famille Chaudière pilote le domaine familial situé pas très loin du mont Ventoux, lieu qui, pour d'aucuns, est un endroit particulier où l'énergie circule bien. Des histoires de sorcières? Je ne sais pas. Moi, je me fie à ce qu'il y a dans la bouteille. Et ce qu'il y a ici est bon. Tout comme l'ensemble de la gamme d'ailleurs, en blanc comme en rouge. Si le 2014 à venir n'est pas piqué des hannetons, le 2013, lui, réussit le pari d'un fruité mûr et épicé sur un ensemble qui demeure toujours souple et alerte, avec beaucoup de coulant et de fluidité malgré la puissance qu'on sent derrière. Un rouge de «terroir» aux accents du sud, mais avec ce caractère précis et circonscrit propre aux vins plus septentrionaux. Petite dernière à arriver en rayons, cette fois avec 100% de grenache, la cuvée Le Paradou à 14,65$ (12614181 – ★★✯) s'illustre dans la foulée des vins de domaine simples, mais hautement savoureux. Dans les deux cas, charcuteries, baguette fraîche et cornichons, bien sûr! **CT** ★★★

CÉPAGES GRENACHE, SYRAH

Vous avez aimé ce vin? Vous pourriez aimer aussi
La Vieille Ferme 2014, La Vieille Ferme, France
14,95$ – 00263640 – ★★✯ CT

Château Pellan Bellevue 2009

MORO

France, Bordeaux

SAQ 10771407

17,15 $

Les buveurs d'étiquettes (certains se reconnaîtront) ou les purs et durs détracteurs de Bordeaux seront obligés de faire ici un effort de réconciliation, sinon de reconnaissance. Avouer que l'affaire est belle, est un pléonasme. Je ne sais pas encore pourquoi de tels vins, dans le radieux millésime 2009 et bientôt le classique 2010, peuvent encore être boudés de nos jours. Depuis deux décennies que je m'intéresse à cette petite maison familiale et je n'ai toujours pas le moindre doute sur sa capacité à livrer des vins de «pays» aussi authentiques qu'ils n'ont rien de tarabiscoté. Un 2009 avec de la puissance mais surtout avec une étoffe structurante, plus charnu sans doute que le 2010 mais avec un galbe, une sève serrée et bien fraîche que l'entrecôte grillée saisira au vol pour mieux vous convaincre de ne pas être végétariens. Du moins, pour le moment. Un vin «simple» qui ne semble pas avoir encore tout dit. Écoutez-le ! **CT** ★ ★ ★

CÉPAGES MERLOT, CABERNET-SAUVIGNON, CABERNET FRANC

Vous avez aimé ce vin ? Vous pourriez aimer aussi
Château La Gasparde 2009, Jean-Pierre Janoueix, France 20,90 $ – 00527572 – ★★★

Domaine de la Charmoise Gamay 2014

HENRY MARIONNET

France, Vallée de la Loire

SAQ 00329532

17,30$

Imaginez seulement que votre frigo soit une cuve de 50 hectolitres avec un bec dispensateur pour y laisser couler du vin. Une fontaine à gamay par exemple, fonctionnelle 12 mois par année, renouvelée selon le millésime le plus récent. Imaginez maintenant que ce soit du gamay de Marionnet! Le bonheur sur terre? Resterait plus qu'à s'attaquer à la baignoire à... champagne. Mais trêve de bavardage. Une fois de plus, et avec une régularité diabolique, nous voilà invités à monter à bord de ce beau bateau fruité sur lequel Jean-Sébastien et son père s'affairent à jeter allègrement une passerelle pour que nous y montions. Un de ces rouges bien secs et sains d'esprit, un rouge souple, rond et souriant, avec toujours son délicieux caractère charnu. Servir à 11°C en tout temps, avec ses vrais amis, pour leur dire qu'on tient à eux. **CT** ★★★

CÉPAGE GAMAY

Vous avez aimé ce vin? Vous pourriez aimer aussi
Vinifera 2013, Henry Marionnet, France
23,55$ – 11844591 – ★★★

St-Florent Saumur 2014

DOMAINE LANGLOIS-CHÂTEAU
France, Vallée de la Loire
SAQ 00710426

17,30 $

J'ai toujours l'impression de revivre ces longues conversations qui consistent à refaire le monde, debout, un coude sur le comptoir du bistrot et, à la main, un verre de cabernet franc qui se vide et se remplit à la vitesse d'une marée de pleine lune. Un vin qui ne s'adresse pas nécessairement à l'intelligence mais à la connivence de la terrine-saucisson avalée sans autre forme de procès. Avec son petit degré d'alcool, son fruité tenace, ascensionnel et vivace, ce cabernet franc marque chaque fois le coup de l'amitié. Comme s'il savait d'instinct que chaque minute de vie écoulée empêchait tout retour en arrière. Voilà pour l'ambiance. Pour le reste, simplicité de fruité mais aussi admirable clarté de propos, avec une buvabilité légendaire à la clé, qui fait qu'on se remet en selle pour une autre conversation de… comptoir ! **CT** ★ ★ ★

CÉPAGE CABERNET FRANC

Vous avez aimé ce vin ? Vous pourriez aimer aussi
Vieilles Vignes 2013, Château de Fesles SA, Vallée de la Loire, France 19,65 $ – 00710442 – ★ ★ ★

Veramonte Reserva Pinot Noir 2013

VERAMONTE

Chili, Aconcagua

SAQ 11567408

17,35$

Nous ne dirons jamais assez le bond de géant que le Chili a fait depuis la dernière décennie. Bond de géant qualitatif sur le plan technique, mais aussi quant à l'identification des terroirs-parcelles-microclimats ainsi qu'à l'interprétation qu'on en fait au chai. Des profils très clairs de cépages voient le jour, avec des personnalités fortes et une élégance à laquelle nous n'étions pas encore habitués. Le pinot noir par exemple. Reconnaître la Vallée de la Casablanca comme une sous-région d'origine semble de mise tant elle colle à ce pinot au fruité exquis, parfumé et... à ce prix! Plusieurs vins de Bourgogne peuvent penser à prendre leur retraite anticipée ou à baisser leur prix. C'est bien net, d'intensité moyenne, nuancé, mais surtout doté d'une texture satinée, fondue, à peine chaleureuse sur la finale. Un vin à servir autour de 15°C avec une volaille de grain, des cailles ou, pourquoi pas, un filet de porc. **CT** ★★★

CÉPAGE PINOT NOIR

Vous avez aimé ce vin? Vous pourriez aimer aussi
Bourgogne 2013, Joseph Faiveley, France 23,50$ – 00142448 – ★★★

Mas Collet 2013

CELLER DE CAPÇANES

Espagne, Catalogne

SAQ 00642538

17,55 $

Il doit y avoir de l'ambiance sur la plage, au sud de Barcelone, lorsque l'heure bleue s'installe et que le fier Espagnol entreprend de servir à sa belle à la fois ses plus beaux vers et son meilleur verre de Montsant. Voilà un compagnon de plage et de feu de camp, de saucisses grillées à la pointe du bâton, de chorizos coupés en rondelles et lancés comme des frisbees au vent. Rouge tenace, juvénile et musclé du mollet, le voilà bien en verve avec un fruité généreux, simple et vigoureux. Un vin méridional qui offre un profil aromatique et gustatif des plus septentrionaux, avec une finale bien balisée, propre et nette. Avec toute la personnalité voulue !
CT ★ ★ ★

CÉPAGES GRENACHE, TEMPRANILLO, SAMSÓ

Vous avez aimé ce vin ? Vous pourriez aimer aussi
Empordá Saulo 2014, Espelt Viticultors, Espagne
15,45 $ – 10856241 – ★★✯

La Capitana 2013

VINA LA ROSA

Chili, Valle Central

SAQ 10327963

17,75$

Sommes-nous entre un vin dit de «boisson» et un vin plus sophistiqué qui se dit de «terroir»? Nous en débattions sur place au Chili, à une table ronde regroupant quelques vignerons. La question de l'origine me laisse tout de même perplexe. On sent bien sûr dans ce vin, sans le moindre doute, l'origine Chili, cette verve fruitée-végétale-fumée typique des cabernets locaux, mais est-ce suffisant pour y sentir une différence notable avec, par exemple, d'autres cabernets issus de Maule, d'Itata ou d'Aconcagua? Je suis plutôt perplexe. Cela dit, nous sommes au sud de Santiago, au cœur même du Chili viticole, sur des sols riches, avec des températures plutôt élevées, sans axe de ventilation est-ouest. Le fruit y est mûr et offre beaucoup de chair et d'étoffe, une tenue en bouche porteuse, franchement savoureuse, à défaut peut-être d'être complexe. Le bœuf appréciera, quelle que soit sa préparation. **CT** ★★★

CÉPAGES CABERNET SAUVIGNON, MERLOT

Vous avez aimé ce vin? Vous pourriez aimer aussi
Vina Chocalan Reserve Syrah 2014, Vina Chocalan, Chili 19,90$ – 11530795 – ★★★

Domaine Borie de Maurel
Esprit d'Automne 2013

SYLVIE ET MICHEL ESCANDE

France, Languedoc-Roussillon

SAQ 00875567

17,85$

La contre-étiquette résume à elle seule l'esprit de la maison. «[...] c'est le vin à tout faire, un touche-à-tout de talent. Tout en ébauchant un archétype du minervois rouge idéal, il pose, avec ce qu'il faut de décontraction, de spontanéité et de convivialité, les bases du style Borie de Maurel.» J'ai forcément lu l'étiquette après dégustation à l'aveugle et je dois soutenir que l'auteur n'est pas du tout loin de la vérité. Pour autant que la vérité existe, bien évidemment! Ce bio se siffle sans ménagement, rasade après rasade, sans fatiguer le palais. La robe est juvénile, brillante et invite à poursuivre sa dégustation. Fruité net, simple et gourmand, soutenant une matière de densité moyenne, épatante de fraîcheur et de définition, le tout décliné sur une texture lisse, soutenue, presque sphérique. Une bouteille pour un repas à partager avec des amis pour qui l'amitié passe avant tout par un bon verre de vin. Ça peut sembler cucul, mais c'est comme ça. **CT** ★★☆

CÉPAGES SYRAH, GRENACHE, CARIGNAN

Vous avez aimé ce vin? Vous pourriez aimer aussi
Château Saint-Martin La Garrigue 2012, France
18,25$ – 10268588 – ★★☆

Merlot 2010

JEAN-PIERRE MOUEIX

France, Bordeaux

SAQ 00369405

17,75$

C'est écrit merlot sur l'étiquette, c'est du merlot que l'on retrouve dans la bouteille. Du merlot qui n'a rien à prouver à personne, pas même à d'autres merlots. Du merlot d'une extrême buvabilité, glissement perpétuel d'un fruit qui, au palais, démarre en souriceau et termine en lion, mais sans les griffes. Le mot archétype a été inventé pour lui. Ajoutez «Merlot de Moueix» et vous entrez de plus dans une catégorie à part. Celle d'un vin qui ne trahit jamais ses origines, qui assume à merveille son millésime et qui poursuit son bonhomme de chemin, sans tambour ni trompette. En somme, avec la sobriété qu'inspire la maison Moueix, de l'entrée de gamme aux plus prestigieux pomerols. Ce millésime 2010 est en rayons depuis quelques années déjà et semble immuable. Le fruit y brille toujours, sa matière est belle, avec ce qu'il faut de densité et de tanins fins… **CT** ★ ★ ★

CÉPAGE MERLOT

Vous avez aimé ce vin ? Vous pourriez aimer aussi
Château de Seguin 2012, Erling Garl et Fils, France 22,75$ – 10258486 – ★★★

Daumen 2013

JEAN-PAUL DAUMEN
France, Rhône
SAQ 12244547

18,05 $

Ce rouge est en quelque sorte un projet collectif dont le tronc commun serait Jean-Paul Daumen. Les vins des vignerons qui partagent avec Daumen cette passion pour les sols « vivants et vibrants » des Côtes-du-Rhône (SAQ 12244547), Lirac (11873211), Gigondas (11818553) ainsi que de la Principauté d'Orange viennent enrichir les mises en bouteille pratiquées par le consciencieux, mais aussi très exigeant vigneron d'Orange. Un négoce tendance bio guidé par la vision d'un homme dont la dynamique crée une émulation bénéfique parmi les appellations respectives de ces terroirs. Cette trilogie de cépages, à laquelle se greffe aussi la syrah, sent bon la garrigue avec un fruité souligné avec précision, fraîcheur et beaucoup d'expressivité. On souhaiterait qu'il y ait, partout sur le territoire français (et ailleurs), des Daumen pour assurer non seulement une pérennité du beau vin, mais aussi parce qu'ils sont de véritables révélateurs de talents.
CT ★ ★ ☆

CÉPAGES CABERNET-SAUVIGNON, GRENACHE, MERLOT

Vous avez aimé ce vin ? Vous pourriez aimer aussi
Domaine Grand Veneur Les Champauvins 2013, Vignobles Alain Jaume et Fils, France 21,90 $ – 10935774 – ★★★

Duas Quintas 2013

ADRIANO RAMOS PINTO – VINHOS
Portugal, Douro
SAQ 10237458

18,35 $

Il est fascinant de pouvoir se faire raconter une belle histoire seulement en versant un peu de vin dans un verre approprié. Fascinant que les raisins d'une vigne puissent à ce point, par quelques manipulations humaines, livrer une histoire, un lieu et un moment-clé. Cela se reproduit une fois de plus avec le solide vin rouge sec du Douro, produit d'une maison qui n'en est pas à ses balbutiements en matière de grands portos. Non, ces mêmes raisins ne proviennent pas des laissés-pour-compte de seconde classe qui n'entrent pas dans la composition du fameux vin muté. Avec des raisins récoltés à maturité, foulés, macérés et vinifiés pour en faire briller le fruité, ce rouge est l'exemple parfait (aux côtés des Altano 2014 – 12,95 $ – 00579862 – ★★✫ et autres Caldas 2014 – 14,90 $ – 10865227 – ★★✫) de ces vins secs modernes qui préservent le terroir minéral local et y mordent à pleines dents. Viril ! Côtes de porc marinées sur BBQ ? **CT** ★★★

CÉPAGES TOURGA NACIONAL, TOURIGA FRANCA, BARCA

Vous avez aimé ce vin ? Vous pourriez aimer aussi
Caldas Reserva 2011, Domingos Alves de Sousa, Portugal 21,85 $ – 11895330 – ★★★

Teroldego Rotaliano Riserva 2011

MEZZACORONA
Italie, Trentin Haut-Adige
SAQ 00964593

18,45 $

Quand on pense teroldego, une maison vient rapidement en tête, celle d'Elisabetta Foradori. Une dame qui s'évertue à rendre à ce cépage ses lettres de noblesse depuis plus de deux décennies, à force de patience et d'un travail acharné sur le terrain. Son cépage peut donner du fil à retordre en raison d'une rusticité dégagée par des rendements trop élevés et des maturités incomplètes. Chez Mezzacorona, l'enfant terrible est vinifié pour le rendre plus turbulent encore, mais avec une joie de vivre et des manières qui le rendent rapidement très attachant. L'impression d'un gamay qui aurait croisé une syrah dans une fête d'étudiants se poursuivant jusqu'aux petites heures ! Couleur et fruit de forte intensité déclinés sur une bouche moyennement corsée, souple et bien fraîche, tout juste relevée d'une belle amertume qui ferme la marche. Servez-le autour de 15 °C sur les *pasta all'amatriciana*. **CT** ★★✫

CÉPAGE TEROLDEGO

Vous avez aimé ce vin ? Vous pourriez aimer aussi
Campolieti 2013, Valpolicella Ripasso, Italie
18,35 $ – 00964569 – ★★✫

Antiguas Reservas 2012

VINA COUSINO-MACUL
Chili, Vallée de la Maipo
SAQ 00212993

18,50$

Voici ce que j'écrivais en avril 2015 sur les vins du Chili : « Vous avez encore des préjugés sur les vins du Chili ? Il serait temps d'entrer dans le XXIe siècle. Car ce Chili-là est sans conteste l'endroit où les mises en situation et les remises en question sont parmi les plus pointues actuellement sur la planète vin. En ce sens, ce vignoble vertical du bout du monde est à des années, que dis-je des siècles-lumière de ce qu'il était au début des années 1980. » Surtout quand on goûte des cuvées à la hauteur de ce Finis Terrae 2010 de chez Cousino-Macul (40,25$ – 00962829 – ★★★★), d'une exceptionnelle qualité de tannins. Son cadet n'est pas mal non plus. Il me semble même que l'éclat du fruité a nettement pris le dessus sur les arômes de brettanomyces qui, autrefois, avaient la sale habitude de coloniser le vin. Franchise et tenue sur un ensemble plutôt corsé, frais, de belle étoffe. Un rouge pour des burgers d'agneau grillés sur charbon de bois. **CT** ★★★

CÉPAGE CABERNET SAUVIGNON

Vous avez aimé ce vin ? Vous pourriez aimer aussi
Arboleda Cabernet-Sauvignon 2013, Vina Sena, Chili 19,95$ – 10967434 – ★★★

Cabernet Sauvignon Gran Reserva 2012

VINA CARMEN

Chili, Valle Central

SAQ 00358309

18,80$

L'une des grandes propriétés terriennes familiales au cœur du Chili réussit, comme d'autres d'ailleurs, à contrer les effets grandissants de la sécheresse qui sévit depuis quelques années. «On est maintenant obligé de passer à l'irrigation en hiver pour contrer le phénomène», me disait l'œnologue que j'ai rencontré sur place en novembre 2014 avant d'ajouter que les fruits de ce cabernet sont issus de terrasses alluviales filtrantes qui, curieusement, assurent une hydrologie naturelle favorable à la bonne maturation des baies. En un mot: ce cabernet a trouvé terroir à ses racines. La gamme Carmen et Santa Rita est impeccable. Les fruités y sont justes et ne manquent pas d'éclat alors que le volume et les textures assurent beaucoup de présence, même si l'on souhaiterait parfois un peu plus de complexité. Ce cabernet offre un grain fin, beaucoup de fraîcheur et une jolie longueur. Vous en baverez d'aise avec une bavette au poivre. **MT** ★ ★ ★

CÉPAGE CABERNET-SAUVIGNON

Vous avez aimé ce vin? Vous pourriez aimer aussi
Caliterra Tributo 2014, Vina Caliterra, Chili
19,25$ – 11675652 – ★★★

Château Rouquette sur Mer Cuvée Amarante 2012

JACQUES BOSCARY

France, Languedoc-Roussillon

SAQ 00713263

18,90 $

Certains pourraient reprocher à Jacques Boscary de ne pas aller « au fond » des cépages en leur imprimant une vinification qui en arrondit partiellement les angles et en offrant une cuvée peut-être trop « lissée » qui a tout de même beaucoup de charme. Et alors ? Je ne suis pas ici pour défendre le style, mais pour apprécier le fruit d'un terroir. Et le fruit est bon. Boscary le pousse même à se surpasser en lui donnant du gras, terme trop souvent galvaudé que certains (encore eux !) confondent avec embonpoint. Pour le reste, si je souhaite un peu plus de tonus et de vitalité, je reste conquis par le profil velouté de la texture dont la mâche, combinée aux fines nuances boisées, vous amène un sourire sur le visage pour la soirée. Et pour la nuit. Surtout servi à 15 °C avec des brochettes d'agneau marinées. **CT** ★ ★ ★

CÉPAGES CARIGNAN, GRENACHE NOIR, SYRAH

Vous avez aimé ce vin ? Vous pourriez aimer aussi
Grand Terroir La Clape 2011 et 2012, Gérard Bertrand, France 19,80 $ – 12443511 – ★★★

Costera 2013

CANTINA ARGIOLAS

Italie, Sardaigne

SAQ 00972380

18,90$

On aurait découvert, semble-t-il, des pépins du cépage cannonau (le grenache local) dans des nuraghis datant de mille ans avant le Christ. Voilà qui ne date pas d'hier. C'est dire combien le cépage et le terroir ont trouvé là un terrain d'entente favorable. Cette maison familiale où œuvrent Giuseppe, Franco et Valentina sous la supervision technique du grand œnologue italien Giacomo Tachis reste fidèle aux traditions locales : on guide les vins avec le moins d'interventionnisme possible. On évoquerait le classicisme bordelais que nous ne serions pas loin du compte, comme en témoigne la cuvée Iselis (SAQ 11896560 – ★★★✯) et la grande Turriga (SAQ 12335511 – ★★★★) que s'approprieront rapidement les amateurs de rouges complexes, profonds et originaux. Le Costera où domine le grenache local est intense et parfumé, ample et détaillé, offrant tour à tour corps, fraîcheur et une finale longue, fluide et épicée. Brochettes de bœuf marinées. **CT**

★★★

CÉPAGES CANNONAU, BOVALE SARDO, CARIGNAN

Vous avez aimé ce vin ? Vous pourriez aimer aussi
Capocaccia 2013, Sella & Mosca, Italie 16,40$ – 11254268 – ★★★

Rapsani Reserve 2011

E. TSANTALI

Grèce, Thessalia

SAQ 00741579

19,05$

On a beaucoup parlé de la Grèce récemment. Pour les raisons que vous connaissez. On parle beaucoup de ses vins depuis quelques années aussi, ce qui n'était que justice vu le sérieux et l'originalité manifestes de la production actuelle. Lorsque je déguste cette cuvée par exemple, je ne peux m'empêcher de me téléporter sur place, entre roche blanche et soleil, entre mer et garrigue, dans un pays traversé d'odeurs mais aussi d'histoire, là où la rêverie s'invite. Difficile de ne pas aimer ce vin, produit par une maison de taille qui livre la marchandise, sans tourner les coins ronds. On mise sur le fruit, pas sur le bois, avec, en milieu de bouche, une souplesse et une légère fermeté qui suffisent à calmer le souvlaki ou à taquiner la côte de mouton. Finale nette, presque saline. **CT** ★ ★ ★

CÉPAGES KRASSATO, STAVROTO, XINOMAVRO

Vous avez aimé ce vin ? Vous pourriez aimer aussi
Jeunes Vignes de Xinomavro 2013, Domaine Thymiopoulos, Grèce 18,30$ – 12212220 – ★★★

Monte Ducay Gran Reserva 2008

BODEGAS SAN VALERO S. COOP

Espagne, Aragon

SAQ 10472888

19,05$

Nous pourrions être dans le Médoc ou autour de Santiago du Chili, mais à y regarder de plus près, c'est l'Espagne chaude et rocailleuse, aride, intense et profonde qui monte et vient boucler le profil de ce rouge expressif et prêt-à-boire. Nous voilà devant un vin d'une coopérative qui sait y faire. Fondée en 1944, disposant de quelque 3500 hectares de vignobles où s'affairent 700 membres, la maison presse beaucoup de jus, d'une jolie régularité qualitative. Avec sa proportion de 30% dans l'assemblage, le cabernet-sauvignon trace le sillon et impose sa loi. La robe demeure juvénile et les arômes sont bien nets, soutenus et poivrés, avec des notes végétales qui les rehaussent. La bouche, pas nécessairement puissante, s'affiche en revanche avec beaucoup de vitalité, de fraîcheur, portant à la verticale des tanins serrés qu'une fin de bouche à peine astringente assure avec panache. Sans assèchement toutefois. Ah! un bon steak avec ça, le must! **CT** ★ ★ ★

CÉPAGES TEMPRANILLO, CABERNET-SAUVIGNON, GRENACHE

Vous avez aimé ce vin? Vous pourriez aimer aussi
Laguna de la Nava Gran Reserva 2010, Navarro López, Espagne 16,05$ – 00902965 – ★★☆

Mas Elena 2012

CAVAS PARÉS BALTÀ

Espagne, Catalogne

SAQ 10985763

19,25 $

Cette belle maison familiale qui travaille en bio et qui est fort réputée pour ses excellents mousseux n'est pas du tout intimidée quand vient le temps de livrer des rouges tranquilles. Elle le fait avec beaucoup de conviction en utilisant des cépages qui supportent à la fois le terroir et le microclimat local. Ce trio bordelais sait se tenir et surtout se maintenir sans fléchir ni faner, sur le plan aromatique comme sur le plan gustatif, conservant une vigueur et une fraîcheur qui jamais ne nuisent à la trame pourtant imposante des tannins. Le cœur fruité y est riche et solide, avec le mordant typique de la jeunesse, une jeunesse que ce vin ne reléguera pas aux oubliettes. On retient de la finale sa clarté, avec de hautes tonalités fruitées, ainsi qu'un élevage sous bois parfaitement huilé. Le renouveau espagnol à son meilleur! Accompagnera toutes les viandes grillées ou braisées dignes de ce nom. **MT** ★ ★ ★

CÉPAGES MERLOT, CABERNET-SAUVIGNON, CABERNET FRANC

Vous avez aimé ce vin ? Vous pourriez aimer aussi
Ballad 2013, Bodegas Ignacio Marin, Espagne
16,80 $ – 12207594 – ★★☆

Raymond R Collection Field Blend 2013

RAYMOND VINEYARD AND CELLAR
États-Unis, Californie
SAQ 12073910

19,35$

La maison Boisset ajoutait dernièrement à son portfolio Raymond Vineyard, avec une superficie de vignoble avoisinant les 220 hectares, dont une partie en agriculture biologique. Ce qui ajoute une autre corde à l'arc de Jean-Charles Boisset... pour ne pas dire une autre pipette à la collection de vignobles que sa famille exploite sur la planète vin. La différence se fait déjà sentir dans les vins. Jean-Charles dira qu'il souhaite insuffler plus d'élégance aux vins, ce qui se vérifie avec le Family Classic 2013 (22,25$ – 12502471 – ★★★ ou, mieux encore, avec le Reserve Cabernet Sauvignon 2012 Napa Valley (46,75$ – 00930777 – ★★★✯) aux tanins fins et à la structure harmonieuse et complexe. Le Field Blend, benjamin de la maison, n'est pas en reste avec son fruité net, sain et mûr, sans lourdeur quant à la maturité. Ampleur, corps, textures, équilibre, bref, un bon verre de vin californien à prix correct. **CT** ★★★

CÉPAGES CABERNET-SAUVIGNON, MERLOT, SYRAH

Vous avez aimé ce vin ? Vous pourriez aimer aussi
Director's Cut 2013, Francis Ford Coppola, États-Unis 29,95$ – 11383545 – ★★★✯

Mara Ripasso 2013

GERARDO CESARI

Italie, Vénétie

SAQ 10703834

19,55$

La fiche signalétique du produit affiche près de 10 grammes de sucres résiduels. Pas de panique cependant. Historiquement, ce type de vin était conçu ainsi. Nous sommes presque à la hauteur d'un mini amarone tant l'épaisseur du fruité de cerise noire ajoute au palais ses couches superposées. S'il est discret au nez, son histoire se corse en bouche avec un profil dont la richesse, combinée à la puissance et à la sève capiteuse de l'ensemble, ne semble jamais l'abrutir ni en perturber l'équilibre. Pour tout dire, les sucres semblent «mangés» par l'amertume qui installe, le long du parcours en bouche, un genre d'autorité naturelle, tout en allongeant la finale. Bref, à moins de 20$, du sérieux et de l'authentique. S'il adore la pépite de *parmigiano reggiano*, ce rouge corsé aimera aussi le braisé d'agneau ou les *pasta alla putanesca*. **MT** ★★★

CÉPAGES CORVINA, RONDINELLA, MOLINARA

Vous avez aimé ce vin? Vous pourriez aimer aussi
Capitel San Ripasso 2013, Agricola F. lli Tedeschi SRL, Italie 22,40$ – 00972216 – ★★★

Château Tayet 2010

G. DE MOUR ET FILS
France, Bordeaux
SAQ 11106062

19,65 $

C'est le type même de vin qu'on aimerait retrouver plus souvent sur les cartes des restaurants où les sommeliers règnent en maîtres. Qu'on le veuille ou non, depuis quelques années, ces derniers réussissent à démoder Bordeaux au profit d'illustres inconnus plus bio que bio mais parfois défectueux et manquant de netteté. En somme, c'est comme si les vins de la Gironde n'étaient destinés qu'aux baby-boomers accrochés à l'étiquette et jouissant du contenu de leur cave à vin même s'ils ne le boiront jamais. Ce Tayet n'est pas le seul du genre. Il existe beaucoup de vins bien conçus qui expriment le meilleur des assemblages locaux, dans des millésimes qui font la différence. Ce 2010 sent bon, possède un fruit mûr et est élevé adéquatement, tout en arrondissant les angles et en assurant plus de complexité en finale. Pas mal avec un onglet-frites. **CT** ★ ★ ★

CÉPAGES MERLOT, CABERNET-SAUVIGNON, PETIT VERDOT

Vous avez aimé ce vin? Vous pourriez aimer aussi
La Terrasse de La Garde 2012, Vins et Vignobles Dourthe, France 26,25 $ – 00018234 – ★★★

L'Ancien Beaujolais 2013

JEAN-PAUL BRUN

France, Beaujolais

SAQ 10368221

19,65$

C'est fou comme ce vin s'est taillé une place parmi les consommateurs. Reprend-il la balle au bond lancée par un Georges Duboeuf qui, depuis le dernier quart de siècle, a enraciné le produit dans la tête des amateurs? Toujours est-il que même si l'opération vin nouveau de novembre n'est plus que l'ombre d'elle-même, le beaujolais, lui, a repris du poil de la bête. Plus exigeant, l'amateur veut désormais une signature, un vin d'auteur qui puisse crédibiliser le produit. Jean-Paul Brun est un habitué de ce guide. Sa cuvée L'Ancien est une référence. Le millésime 2014 qui arrivera au cours de l'année m'a semblé un demi-cran supérieur au 2013 qui, depuis son arrivée en rayons, a gagné sur le plan de l'évolution. Le registre fruité s'est élargi et verse tout doucement dans des nuances de pivoine fanée et d'épices. Un rouge qui semble léger – et qui l'est – et dont la matière tannique semble se bonifier sur le plan de la structure. Servir frais avec un jambon-beurre-cornichons. **CT** ★★★

CÉPAGE GAMAY

Vous avez aimé ce vin? Vous pourriez aimer aussi
Morgon Les Charmes 2014, Les Vins Louis Tête, France 18,80$ – 00961185 – ★★★

Coteaux Bourguignons 2012

ANTONIN RODET

France, Bourgogne

SAQ 11833622

19,80 $

On fait ici dans une espèce de dentelle de fruit, toujours suggestive, jamais écrasante. Il est vrai que les amateurs de chars d'assaut lourds de tannins n'en seront pas pour leurs frais. Mais la Bourgogne est aussi cela. Cette nouvelle appellation coteaux-bourguignons, qui autorise l'ajout de gamay au pinot noir avec une provenance élargie à la grande Bourgogne, permet de multiplier les sources d'approvisionnement. De plus, elle nuance ainsi les cuvées tout en assurant des volumes qui offrent une commercialisation sur divers marchés, notamment le nôtre. Servi à peine rafraîchi, en fin d'après-midi, avec une terrine de campagne, que ce pinot prend ses aises et prépare la suite pour des rouges plus consistants. Il est bien net, fluide, léger de ton, simple d'expression, avec un fruité savoureux qui ne se dément pas. **CT** ★★☆

CÉPAGE GAMAY, PINOT NOIR

Vous avez aimé ce vin ? Vous pourriez aimer aussi
Coteaux Bourguignons 2012, Maison Albert Bichot, France 16,95 $ – 12206997 – ★★☆

Otazu Premium Cuvée 2011

SEÑORIO DE OTAZU

Espagne, Navarre

SAQ 11387298

19,80$

Le château était déjà érigé en 1387 et je me doute bien que les libations y allaient bon train. C'est comme ça quand on est seigneur d'un château : le vin y coule à flots, n'est-ce pas ? Le vin, dis-je ? Nous sommes en Navarre, une région de France connue pour sa distinction, sa sobriété, sa finesse même. Quelque 150000 bouteilles composent cette cuvée sur laquelle l'attention est portée jusque dans le moindre détail, avec une bouche soyeuse, une épaisseur fruitée juste taquinée par l'élevage qui ajoute une touche de fumée à l'ensemble. Bref, un ajout judicieux au répertoire des produits courants cette année qui, à moins de 20,00$, devrait se tailler une jolie place chez l'amateur. **MT** ★★★

CÉPAGES TEMPRANILLO, MERLOT, CABERNET-SAUVIGNON

Vous avez aimé ce vin ? Vous pourriez aimer aussi
Paso A Paso 2013, Bodegas Volver, Espagne
17,25$ – 12207771 – ★★☆

Marie-Gabrielle 2011

ANDRÉ ET BERNARD CAZES

France, Languedoc-Roussillon

SAQ 00851600

19,85 $

Depuis quelques années, j'ai beaucoup de plaisir à boire ce vin. On y retrouve le soleil du sud de la France, mais il y a plus que ça. Une espèce d'« acuité » d'arômes et de saveurs qui tranchent chaque fois. Cela est d'autant plus vrai que le 2011 et bientôt le 2012 intègrent parfaitement leurs composantes avec une facilité qui semble tout à fait naturelle. Difficile à décrire, facile à constater. Est-ce la biodynamie qui, depuis plus de 15 ans, donne le ton et sculpte si sobrement la cuvée qui est ici en cause ? Difficile à dire, du moins lorsqu'on déguste le vin. Mais c'est une autre histoire lorsqu'on foule le vignoble. J'y ai constaté une vie organique manifeste avec des vignes qui, visuellement, étaient en bonne santé. Le vin lui en est le polaroïd. Du corps mais avec souplesse et coulant, culminant avec fraîcheur sur une longueur en bouche appréciable. Un modèle du genre. **CT** ★ ★ ★

CÉPAGES SYRAH, GRENACHE, MOURVÈDRE

Vous avez aimé ce vin ? Vous pourriez aimer aussi
Chartier Créateur d'Harmonies 2012, Sélection Chartier Inc., France 20,00 $ – 12068096 – ★★✯

Sangiovese Superiore di Prugneto 2013

PODERI DAL NESPOLI

Italie, Émilie-Romagne

SAQ 11298404

19,95 $

Cette maison d'Émilie-Romagne est une référence et livre, avec cette parcelle précise, une interprétation singulière du fameux sangiovese. De quel clone s'agit-il ? De *sangiovese grosso*, évidemment. Je ne connais pas cette maison si n'est par le lien bachique qu'elle m'offre, mais la table ne semble pas bien loin si on se fie à l'ambiance culinaire qui règne sur le site web de la maison. Il y a un esprit de camaraderie dans ce sangiovese, différent du vindicatif toscan, aimable tout en demeurant bien sec, étoffé par un fruité où l'éclat et la passion cohabitent. Il y a même une certaine finesse derrière ces tanins qui, l'air de rien, portent la structure tout en douceur. Un rouge pour gens qui veulent s'attabler devant une assiette de pieds de porc farcis aux lentilles (zampone), de risotto à la courge, de tortellinis, de cappellettis ou de lasagnes sauce bolognaise, évidemment. **CT** ★ ★ ★

CÉPAGE SANGIOVESE

Vous avez aimé ce vin ? Vous pourriez aimer aussi
Dogajolo 2013, Casa Vinicola Carpineto, Italie
17,60 $ – 00978874 – ★★☆

Côtes du Rhône 2011

E. GUIGAL

France, Vallée du Rhône

SAQ 00259721

20,40$

Boire, déguster, savourer, avaler ou siffler un vin de cette grande maison rhodanienne a toujours quelque chose de rassurant. J'avancerais même que c'est une garantie contre toute déception. Que nous soyons au sommet de la pyramide avec la côte-rôtie ou à la base avec cet assemblage inscrit depuis toujours dans ce guide, je sais que je vais passer un bon moment. N'est-ce pas la nature du vin que de promettre de tels plaisirs ? Depuis 1997, la syrah mène la danse ici, donnant à l'ensemble une souplesse, un éclat fruité et un volume parfumé d'une jolie densité. L'élevage sous bois y est encore calibré au micron près, insufflant une respiration qui ajoute bien évidemment à la patine de l'ensemble mais qui tempère aussi tout phénomène de réduction qui tendrait à se manifester. Un rouge plutôt corsé que je bois, déguste, savoure, avale ou siffle avec un sauté de bœuf poivrons-champignons. **CT** ★ ★ ★

CÉPAGES SYRAH, GRENACHE, MOURVÈDRE

Vous avez aimé ce vin ? Vous pourriez aimer aussi
Héritages 2013, Antoine Ogiers, France 15,95$ – 00535849 – ★★✯

Notarpanaro 2007

AZIENDA AGRICOLA COSIMO TAURINO

Italie, Les Pouilles

SAQ 00709451

20,60$

Il me semble voir cette bouteille depuis des lustres en rayons dans ce même millésime. Comme si le producteur avait engrangé à lui seul les millions d'hectolitres produits dans ces Pouilles si généreuses. Un rouge hors du temps qui devait abreuver César et ses Romains, à l'époque où on ne savait que faire la guerre et s'enivrer. Un rouge qui n'offre pas de merlot dans l'assemblage, plutôt un cépage obscur mais très original, qui a besoin de la patine du temps pour se réaliser pleinement. Actuellement, ce vin est à point. Puissant certes, mais aussi captivant avec des notes balsamiques de romarin, de garrigue, de cèdre et d'ambre ; des tannins frais, bien serrés, à la limite du décrochage où l'astringence pourrait se manifester... mais elle ne le fait pas, conservant au vin son équilibre, sans l'assécher. Un tagine à l'agneau serait exotique ici. **MT** ★ ★ ★

CÉPAGES NEGROAMARO, MALVASIA NERA

Vous avez aimé ce vin ? Vous pourriez aimer aussi
Barco Reale di Carmignano 2013, Tenuta di Capezzana, Italie 19,90$ – 00729434 – ★★★

Bergerie de l'Hortus Classique 2014

DOMAINE DE L'HORTUS

France, Languedoc-Roussillon

SAQ 00427518

20,75 $

Combien de vignerons californiens aimeraient réaliser un tel vin ? Ils sont nombreux. Mais visiblement, le soleil ne leur suffit pas. Il leur manque autre chose. Les cépages ? Non. Le terroir ? Peut-être. L'équilibre ? Sûrement ! Cette espèce de facilité à livrer un fruité mûr sans qu'il devienne trop capiteux ou trop lourd, sans cesse tendu par ce que plusieurs considèrent comme un ressort minéral efficace. Puis il y a Jean Orliac et consorts à qui, comme à un singe, on n'apprend pas à faire la grimace. Chaque cépage dans l'assemblage se distingue, s'exprime puis se fond dans l'ensemble, y apportant clairement sa petite contribution. Robe juvénile et corps moyen, fruité souple, légèrement épicé, avec un quelque chose d'à la fois friand et dense sur la finale. De la belle ouvrage. Encore une fois. **CT** ★ ★ ★

CÉPAGES SYRAH, MOURVÈDRE, GRENACHE

Vous avez aimé ce vin ? Vous pourriez aimer aussi
Seigneur de Baccou 2013, Cave des Vignerons St-Chinian, France 13,60 $ – 00561308 – ★★☆

Benjamin Brunel Rasteau 2013

SCA DU CHÂTEAU DE LA GARDINE
France, Vallée du Rhône
SAQ 00123778

20,95$

Cette bouteille semble exister au moins depuis aussi longtemps que la célèbre Fiole du Pape, la poussière en moins. Avec le châteauneuf-du-pape maison (SAQ 00022889), une signature forte du terroir proposée par une maison familiale où la richesse du fruit, la texture presque grasse de l'ensemble et les acidités généralement basses contribuent à définir le profil généreux des cuvées. Ce millésime n'y échappe pas, rouge de belle couleur, discret sur le plan aromatique, mais tout en détails avec ses nuances épicées qui ne sont pas sans évoquer roches et garrigues surchauffées. Un rouge corsé qui contente chacun, rouge d'automne et d'hiver où déjà la cuisine embaume l'épaule d'agneau au thym, le poulet au romarin, le tagine et autres curries exotiques. J'ai toujours l'impression de savourer un châteauneuf en miniature, avec ce volume, mais aussi cette texture veloutée bien serrée qui prolonge la finale. Délicieux. **CT** ★★★

CÉPAGES GRENACHE, SYRAH, CINSAULT

Vous avez aimé ce vin ? Vous pourriez aimer aussi
Château Saint-Roch 2013, Château Saint-Roch Brunel Frères, France 19,05$ – 00574137 – ★★★

Devois des Agneaux D'Aumelas 2012

ELISABETH ET BRIGITTE JEANJEAN
France, Languedoc-Roussillon
SAQ 00912311

20,95 $

Ce 2012, disons, plus féminin, suit un 2011, disons, plus masculin. Certains se formaliseront de la description donnée, mais je ne suis pas prêt à inventer un troisième sexe pour plaire à la galerie ! De là à affirmer que ce Devois est doux comme un agneau... On y est presque cependant. La syrah est ici d'une délicatesse étonnante, je dirais même qu'elle ne ferait pas de mal à une mouche tant elle semble inoffensive derrière des tannins sveltes et assouplis qui procurent à cette cuvée un détachement particulier. Comme si le palais n'avait rien à escalader, seulement à se laisser porter, dans un flot continu dont le fruité serait la fois le lit et l'élément liquide. Ce vin déroutera cependant les amateurs de languedoc noir comme la nuit et puissant comme un fauve. Cette belle maison dynamique a certainement compris qu'il fallait, dans ce millésime, laisser les choses se faire sans forcer la note. Décision aussi fine que la finesse du vin. J'aime. **CT** ★★★½

CÉPAGES SYRAH, GRENACHE

Vous avez aimé ce vin ? Vous pourriez aimer aussi
Domaine de la Vieille Julienne lieu-dit Clavin 2013, Daumen Père et Fils, France 27,65 $ – 10919133 – ★★★½

Gran Coronas Reserva 2011

SOC. VINICOLA MIGUEL TORRES

Espagne, Catalogne

SAQ 00036483

20,95$

Comme je l'écrivais dans l'édition 2015 de ce guide : « Onzième fois dans le *Guide Aubry* et toujours cette saine impulsion de vous le présenter de nouveau, comme un ami qu'on revoie avec un plaisir non dissimulé. » Il faudra le compter pour cette 12e édition, vu l'avance qu'il a parmi les autres cabernets dégustés à l'aveugle. Seulement, dans ce millésime, le tempranillo semble vouloir prendre le dessus sur le plan aromatique, alors qu'en bouche, c'est au cabernet de venir consolider la structure. Tous deux cependant fusionnent admirablement, suggérant une texture presque veloutée, avec des tannins arrondis bien mûrs qui conservent tout de même une note végétale diversifiant et prolongeant la finale. Un rouge de corps et de cœur, authentique, très espagnol de facture mais aussi élégant que son confrère bordelais plus au nord. Un régal avec une entrecôte vieillie durant 45 jours. **CT** ★★★

CÉPAGES CABERNET-SAUVIGNON, TEMPRANILLO

Vous avez aimé ce vin ? Vous pourriez aimer aussi
Bolgheri Rosso 2013, Michele Satta, Italie
23,70$ – 10843466 – ★★★

Caburnio 2011

SOCIETA AGRICOLA TENUTA MONTETI
Italie, Toscane

SAQ 11305580

21,05 $

La Maremma italienne s'est considérablement développée dans les deux dernières décennies, invitant les cépages dits «bordelais» à cousiner avec les sangiovese locaux. Pour le meilleur, je dois dire. Les prix y sont plus doux qu'en chianti classico et l'audace, sur le terrain, encore possible, vu les assemblages originaux qui lui donnent sa valeur. Ce Caburnio fait plaisir à boire. Avec sa fraîcheur et sa franchise au nez, le vin nous interpelle rapidement par son fruité mûr, de belle consistance, s'exerçant au palais avec suffisamment de fermeté et de coulant pour intéresser les papilles sans les fatiguer. La finale montre en ce sens une «heureuse» salinité qui ajoute une brillance à cette fin de bouche qu'un boisé parfaitement rodé vient lui aussi combler. Un must sur la *pasta all'ragù* ! **CT** ★ ★ ★

CÉPAGES CABERNET-SAUVIGNON, ALICANTE BOUSCHET, MERLOT

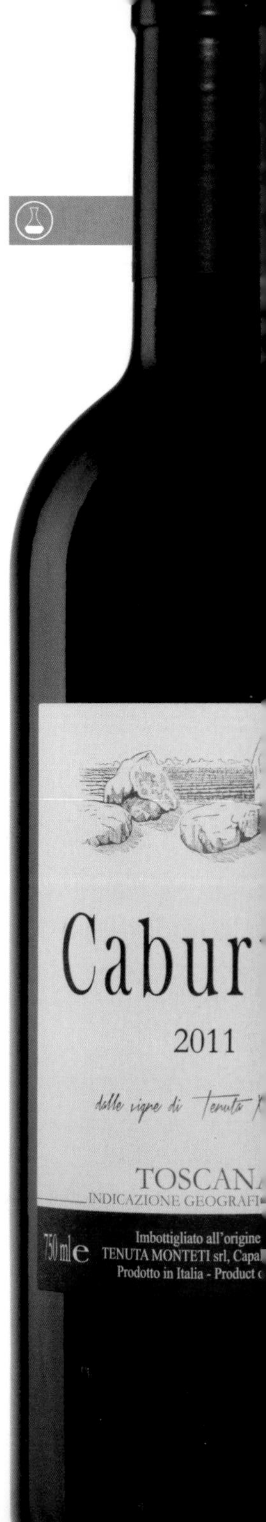

Vous avez aimé ce vin ? Vous pourriez aimer aussi
Brancaia TRE 2013, Casa Brancaia, Italie
22,55 $ – 10503963 – ★★★

Ijalba Reserva 2010

VINA IJALBA

Espagne, La Rioja

SAQ 00478743

21,50$

Chaude, très chaude lutte cette année dans la section rioja. Pour tout vous avouer, le Baron de Ley Reserva 2010 (22,05$ – 00868729 – ★★★✯) talonnait l'Ijalba de si près qu'il aurait fallu une photo précise des deux athlètes au fil d'arrivée pour trancher la question. Disons que les styles ne sont pas opposés, au contraire. Pas question ici de vins usés par un temps immémorial passé sous bois dans un coin éloigné du chai au troisième sous-sol. Plutôt moderne, avec une clarté et une acuité fruitée absolument parfaites. La patine boisée s'y manifeste dans les deux cas en balisant habilement les saveurs et en tissant une trame qui agit ici comme une infusion fine du caractère boisé, générant du coup plus de complexité. Mais c'est la texture de l'Ijalba qui m'a finalement convaincu. Quelque chose de magique dans la proportion, avec un glissement subtil en profondeur qui étonne, et étonne encore. Top ! **MT** ★★★✯

CÉPAGES TEMPRANILLO, GRACIANO

Vous avez aimé ce vin ? Vous pourriez aimer aussi
Coto de Imaz Reserva 2008, El Coto de Rioja, Espagne 21,80$ – 10857569 – ★★★

Celeste Crianza 2011

SELECCION DE TORRES
Espagne, Castille-León
SAQ 11741285

22,60$

La partie a été rude. Quelques vins de cette appellation dégustés à l'aveugle avec, à la fin, deux candidats dont le Celeste qui remporte les honneurs, mais à l'arraché. Son rival immédiat? La Sélection Chartier 2013, Ribera del Duero à 20$ (122246622 – ★★☆) dont le profil fruité bien net et les tannins frais et expressifs étaient fort pertinents. Sans doute moins de profondeur et d'étoffe que le Torres, ce dernier se rattrapant sur le plan de l'élevage avec de séduisantes notes fumées-toastées. Bref, un rouge de nuit, alors que le barbecue crépite sous les étoiles et que la viande embaume, que les conversations s'entrelacent et que refaire le monde fait partie des ambitions nocturnes. Puis toujours cette «finition» Torres, impeccable ; un vin pourvu de typicité, parfaitement équilibré. **MT** ★★★

CÉPAGE TEMPRANILLO

Vous avez aimé ce vin? Vous pourriez aimer aussi
Condado de Haza 2010, Condado de Haza, Espagne 25,90$ – 00978866 – ★★★

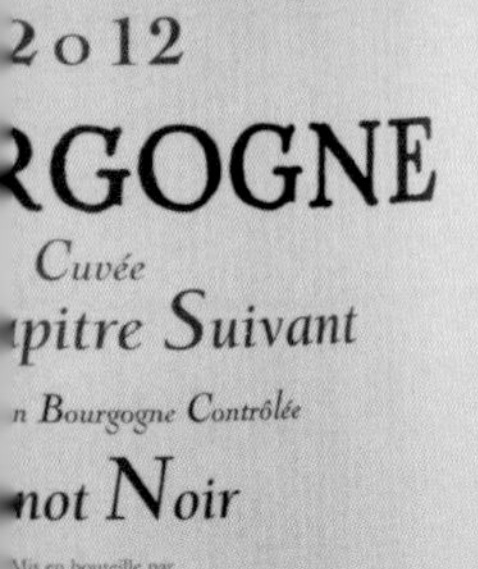

Le Chapitre Suivant 2012

RENÉ BOUVIER

France, Bourgogne

SAQ 11153264

23,50$

Sans surprise, de retour dans les pages de ce guide pour une deuxième fois. La dégustation à l'aveugle avec plusieurs de ses collègues et le fait que cette cuvée soit maintenant disponible en volume suffisant confirment sa position. Il faut admettre que la maison sait faire ressortir le pinot tout en l'habillant suffisamment pour ne pas nuire à la trame finement tannique qui lui sert de colonne vertébrale. Déjà une évolution sur le plan olfactif par rapport au même vin dégusté en 2014 et au début 2015, avec un fruité toujours consistant, frais et passablement fondu. N'y cherchez évidemment pas nuances et profondeur mais plutôt un bon verre de pinot à régaler la poularde du dimanche soir. **CT** ★ ★ ★

CÉPAGE PINOT NOIR

Vous avez aimé ce vin? Vous pourriez aimer aussi
Couvent des Jacobins 2012, Louis Jadot, France
22,90$ – 00966804 – ★★★

Château Montaiguillon 2012

CHÂTEAU MONTAIGUILLON

France, Bordeaux

SAQ 00864249

23,85 $

L'impression bien réelle d'être parachuté dans un chai bordelais au XIXe siècle, un chai sombre, frais et sentant bon le bois des barriques anciennes. Un chai propre et bien rangé, sans la moindre trace de brettanomyces pour vous gâter la sauce avec ses odeurs de poney. L'impression aussi d'être en compagnie de Chantal Amart qui nous fait faire le tour du propriétaire, heureuse des innombrables vendanges qui lui ont permis de progresser jusqu'à maintenant. Elle prend soin de chacune d'elles comme s'il s'agissait de ses enfants. J'ai dégusté bon nombre de 2012 à Bordeaux. Le sien tient remarquablement bien la route. Il y a une espèce de fragilité derrière un fruité qui se fera sans doute meilleur plus rapidement que le 2011 et surtout le 2010. Ce fruité offre maturité, clarté et expression, surtout les cabernets francs qui donnent le meilleur d'eux-mêmes. Incontestable réussite ! **CT** ★ ★ ★

CÉPAGES MERLOT, CABERNET FRANC, CABERNET-SAUVIGNON

Vous avez aimé ce vin ? Vous pourriez aimer aussi
Château Treytins 2011, Vignobles Léon Nony, France 24,70 $ – 00892406 – ★★★

Château du Cèdre 2011

VERHAEGHE ET FILS

France, Sud-Ouest

SAQ 00972463

24,25$

Quand on tient la passion de son métier par la barbichette, voilà bien ce qu'on est en mesure de livrer en bouteille. Les Verhaeghe auraient pu faire de la boulangerie, de l'acupuncture, de la charcuterie ou de l'architecture, le résultat aurait été le même. C'est que le travail bien fait ne se commande pas, il s'exécute, et ce, à la vigne comme au chai, sur une période conséquente. Ces gens comprennent manifestement leurs parcelles et les cépages qui s'y émancipent; ils saisissent aussi la nature des redoutables polyphénols qui font si intimement partie de l'ADN des cépages locaux, cépages qui s'inclinent, pour ne pas dire s'assagissent, sous le doigté de ces artisans. Mais le vin de Cahors demeure richement coloré et bien droit, du haut de son ambition fruitée qu'il partage avec l'architecture heureuse de ses tannins. Élégant avec ça.
MT ★★★☆

CÉPAGES MALBEC, TANNAT, MERLOT

Vous avez aimé ce vin? Vous pourriez aimer aussi
Clos La Coutale 2013, V. Bernède et Fils, France
15,30$ – 00857177 – ★★☆

Villa Antinori 2012

MARCHESI ANTINORI
Italie, Toscane
SAQ 10251348

24,50$

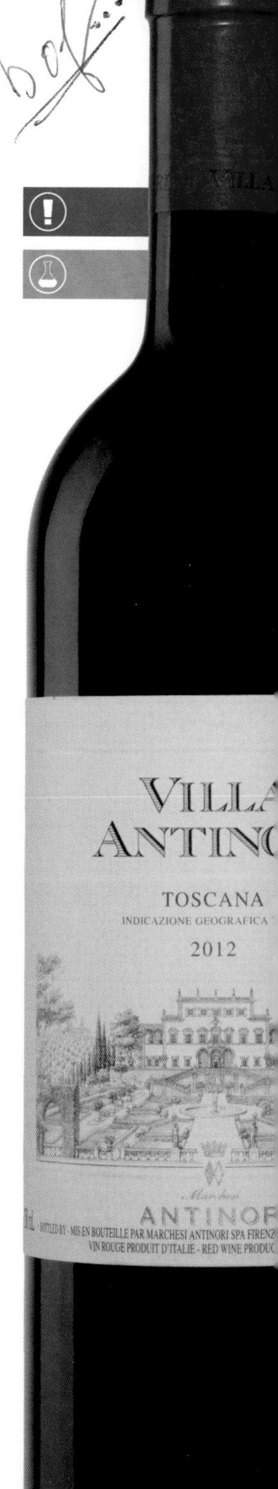

Sur le site Internet de la maison Antinori, cette cuvée paraîtra noyée sous les myriades d'étiquettes offertes: Pèppoli, Badia a Passignano, Marchese Antinori, Matarrochio, La Braccesca, Poggio alle Nane, Santa Cristina, Tignanello, et j'en passe. La célèbre maison familiale qui a pignon sur vigne depuis 1385 livre avec ce classique 2012 un vin qui ne m'est jamais apparu aussi bon depuis près de deux décennies! Qui d'entre vous ne l'a pas déjà (souvent) servi à table, assuré d'avoir sous le coude et sans se casser la tête une valeur sûre? Premier constat: il y a du vin dans ce millésime. Deuxième constat: il y a une signature toscane, un lieu, une origine. Troisième constat: il y a un fruité, encore pour le moment bien serré derrière des tannins mûrs, qui se double en bouche d'une mâche sincère, princière, étonnamment savoureuse. Bref, le revoilà cette année sous la bannière «Point d'excitation»! **MT** ★★★

CÉPAGES SANGIOVESE, CABERNET-SAUVIGNON, MERLOT

Vous avez aimé ce vin? Vous pourriez aimer aussi
Nipozzano Riserva 2012, Marchesi de Frescobaldi, Italie 23,95$ – 00107276 – ★★★

Château Maison Blanche 2011

CHÂTEAU MAISON BLANCHE

France, Bordeaux

SAQ 11792293

24,70$

Classique comme un Médoc. C'est le cas ici avec cet indémodable, qui reste dans le sillon. Les seuls chemins de traverse permis consistent en ces petites améliorations faites au fil des ans pour bonifier la cuvée, sur le terrain comme au chai. Rajeunissement des installations, ajustement des techniques et conseils auprès d'une personne ressource qui, d'un œil extérieur, possède une vision d'ensemble de la propriété. Cette ressource s'appelle, dans ce cas-ci, Stéphane Derenoncourt. Pas un deux de pique si vous voulez mon avis. Le résultat est probant. À peine moins concentré et tannique que le 2010, le 2011 est d'une netteté de fruit qu'on a plaisir à voir et à boire. Il est frais, de constitution moyenne, élégant, avec une jolie mâche pour terminer la bouche. Classique comme un Médoc, vous dis-je. **CT** ★★★

CÉPAGES MERLOT, CABERNET-SAUVIGNON, CABERNET FRANC

Vous avez aimé ce vin ? Vous pourriez aimer aussi
Château Puy-Landry 2014, R. Moro, France
15,70$ – 00852129 – ★★☆

Il Falcone Riserva 2009

AZIENDA VINICOLA RIVERA

Italie, Les Pouilles

SAQ 10675466

24,75 $

Je ne sais pas pourquoi j'aime ce vin. Mais je l'aime. Le 2007 était bon, le 2008 était bon et le 2009 est tout aussi bon. Est-ce sa prestance naturelle, son goût profond d'arrière-pays au-delà des garrigues et des terres sèches et rocailleuses, ou son fruité unique soutenu par le singulier cépage nero di troia, fait d'un mélange de pâte de cerise macérée dans l'alcool, de poivre noir et de réglisse rouge (eh oui, souvenir d'enfance !), qui vous intrigue ? Cela dit, nous sommes dans un univers qui plaira aux amateurs de rouges riches et capiteux dont les épaisseurs tanniques se superposent sans astringence démesurée. La maison sait comment s'y prendre avec cet élevage sous bois qui élargit la carrure du fruit. Par ici le gros gibier ! **MT** ★★★½

CÉPAGES NERO DI TROIA, MONTEPULCIANO

Vous avez aimé ce vin ? Vous pourriez aimer aussi
Burchino 2012, Castellani SPA, Italie 17,75 $ – 00741272 – ★★½

Easton 2013

DOMAINE DE LA TERRE ROUGE
États-Unis, Californie
SAQ 00897132

24,95$

Les candidats se sont bousculés au portillon, mais encore fallait-il trier le bon grain de l'ivraie. À la suite de la dégustation de quelque 15 zinfandel, dont le Kenwood Sonoma (19,90$ – 004003345 – ★★½), le Director's Cut, de Coppola (29,95$ – 11882272 – ★★★½), le Three Valleys, de Ridge (33,00$ – 12328898 – ★★★½) ou, encore, le solide Boneshaker (32,25$ – 12198940 – ★★★½), force est d'admettre qu'il y en avait pour tous les goûts. Surtout en matière de sucres résiduels qui alourdissaient souvent le produit en le déséquilibrant. Au final, cette cuvée Terre Rouge s'en est une fois de plus tirée avec assurance et crédibilité, sans compromis, quel qu'il soit. Le fruit est net, bien focalisé, mais c'est surtout sur la structure tannique que ça se joue. Peut-être devrais-je dire la texture tannique, tant corps et tannins fusionnent. Le 2012, encore présent en rayons, est aussi des plus recommandables. Pas mal avec les côtes levées barbecue. **MT** ★★★

CÉPAGE ZINFANDEL

Vous avez aimé ce vin? Vous pourriez aimer aussi
Vintners Blend 2013, Ravenswood, États-Unis
19,00$ – 00427021 – ★★½

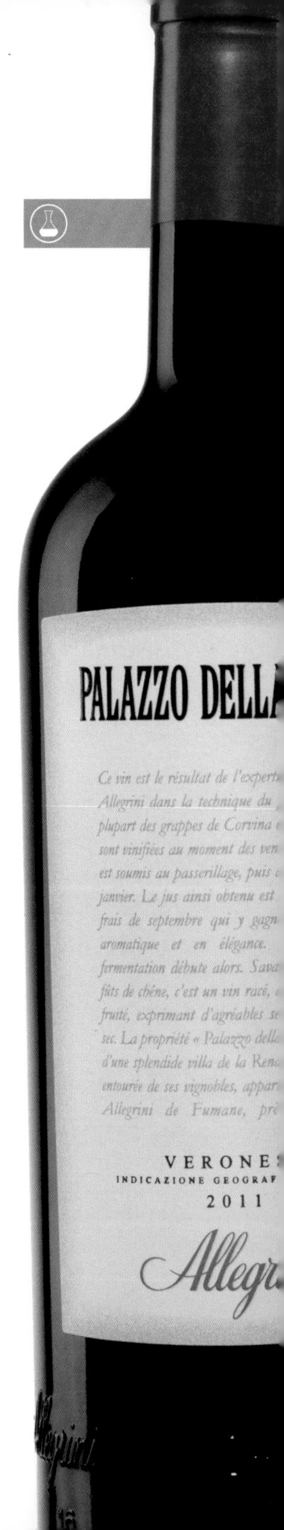

Palazzo della Torre 2011

AZIENDA AGRICOLA ALLEGRINI

Italie, Vénétie

SAQ 00907477

24,95 $

Vous lui offrez une heure de carafe et voilà toute la lumineuse Vénétie qui se met à genoux devant vous, vous exhortant à la lenteur, car il y a le temps ici pour la rêverie, la flânerie, voire l'oisiveté. De la lumière oui, chaude et sensuelle, qui vous chauffe les cépages et vous les sert sur un plateau gourmand, après un savant passerillage qui en décuple l'opulence et la générosité. Nous pourrions être dans un film de Fellini au cours d'agapes substantielles en compagnie de convives s'enivrant des plus fines gastronomies que nous ne serions pas très loin de l'ambiance de ce rouge puissant, plein de sève et long en bouche. Je l'ai dégusté à quelques reprises, mais c'est avec un calzone, un roulé de veau farci aux champignons et au fromage, que le jeu en valait vraiment la chandelle. Le servir par contre autour de 16 °C, à la lueur des chandelles, naturellement. **MT** ★ ★ ★

CÉPAGES CORVINA, RONDINELLA, SANGIOVESE

Vous avez aimé ce vin ? Vous pourriez aimer aussi
Capitel dei Nicalo 2013, Agricola F.lli Tedeschi, Italie 18,25 $ – 11028156 – ★ ★ ★

LE PORTRAIT ROUGE

Les frères Jean-Louis et Nady Foucault

CLOS ROUGEARD

HUIT GÉNÉRATIONS ET TOUJOURS PAS DE RÉVOLUTION À L'HORIZON. Ce sont de sacrés caractères, les frères Foucault. On pourrait croire que Jean-Louis, dit «Charly», et Nady manquent d'audace, alors qu'eux se demandent bien pourquoi. «Ce qu'on a réinventé, explique Nady, est le fait que nous n'avons justement rien changé.» Sur ces mots, il débouche, geste immémorial, une bouteille ensommeillée pendant plus de cinq décennies, puis une autre, un somptueux millésime 2010. Il illustre ainsi l'esprit pérenne qui règne dans la maison.

Les frères Foucault tissent les liens entre le passé et l'avenir en transitant par l'ici et le maintenant. Rien de sorcier, donc. Par exemple, parler au grand-père, à son retour de la dernière guerre, d'intrants chimiques dans le vignoble n'aurait pas eu de sens. C'est comme de demander aux frères Foucault d'aujourd'hui pourquoi ils faisaient déjà des vendanges en vert dès les années 1970. Cela serait pour le moins incongru, puisque ce processus consiste à faire tomber des grappes pour réguler le rendement des vignes tout en laissant pousser de l'herbe entre elles avec, à la clé, une production sage en dessous de la barre des 40 hectolitres par hectare. C'est pourtant ici, loin des railleries de collègues sans doute tenaillés par la jalousie, que notre duo s'affaire depuis des décennies à une agriculture biologique bien vivante, avec une belle incidence sur les vins.

Cépage roi, le cabernet franc couvre neuf hectares distribués sur deux terroirs, soit Les Poyeux avec ses sols de calcaire marneux, et Le Bourg, plus riche en argile avec un socle calcaire pour un matériel végétal d'environ 80 ans. Ajoutez à cela la cuvée Le Clos, assemblage de ces deux magnifiques terroirs, et vous avez là, sur le bord des lèvres pour ne pas dire dans le prolongement du rêve, à coup sûr les cuvées de cabernets francs les plus remarquables qui soient. Je ne suis pas le seul à le penser.

Le cabernet franc, qui semble souvent rustique ailleurs, hormis le Cheval Blanc ou la Maremma toscane avec le Matarocchio de la maison Antinori, mais qui n'équivaut pas pour autant au célèbre domaine ligérien, se sublime littéralement ici. Il possède une patine, une texture et un soyeux uniques qui sont le fruit d'un élevage patient, entre 24 et 30 mois en fût, sans collage ni filtration. Cela donne pour résultat un rouge qui concentre finesse et tension avec ce qu'il faut de concentration pour jouer l'élégance. Sa clôture en fin de bouche est aussi noble que longue et construite. À mon sens, on évolue dans une ambiance plus « bourguignonne », suave et sensuelle pour Les Poyeux et plus « rhodanienne », serrée et charnue pour Le Bourg. Tout en demeurant des saumur-champigny !

Pour les candidats au concours du meilleur sommelier du monde, ces vins sont à coup sûr reconnaissables puisqu'ils sont habités par la sincérité toute terrienne d'un cépage qui a trouvé ici *son* lieu. Ils se boivent aussi à grandes lampées par l'amateur qui prend résolument son pied à les boire jusqu'à plus soif. Bref, l'enseigne du grand vin ! Le hic, c'est qu'ils sont rares. Des quatre vins millésimés 2009, notamment le splendide grand cru calcaire Brézé en chenin blanc, pas une goutte n'est en vente actuellement chez nous. Ce qui cause bien des maux de tête aux gens de la SAQ, tout comme à Nady et à Charly qui préféreraient destiner leurs vins à ceux qui l'apprécient réellement au lieu de faire l'objet d'une loterie côté distribution.

Si la chance vous souriait un jour, je vous inviterais plus que chaleureusement à déguster l'une ou l'autre des cuvées du domaine. Ce sont des vins qui pour environ cent dollars le flacon tiennent mieux que leurs promesses. Ils sont un peu comme le Château Le Puy en côtes-de-francs de la famille Amoreau ou le Gamay Vinifera accouché par Henry et Jean-Sébastien Marionnet en Touraine. Si les frères Foucault manquaient d'audace, ils trahiraient sans doute ce legs précieux des anciens qui veut que ce soit dans la continuité qu'on risque le moins de passer à côté du changement. Ce qu'ils ont de mieux à offrir, ce sont des vins de gens, des vins de lieux, des vins qui invitent le passé à mieux nourrir l'avenir sans trébucher sur les modes. Ce sont des vins inscrits dans une révolution végétale qui n'aura jamais lieu, mais qui est tout de même en marche. Dans la continuité, et c'est très bien comme ça !

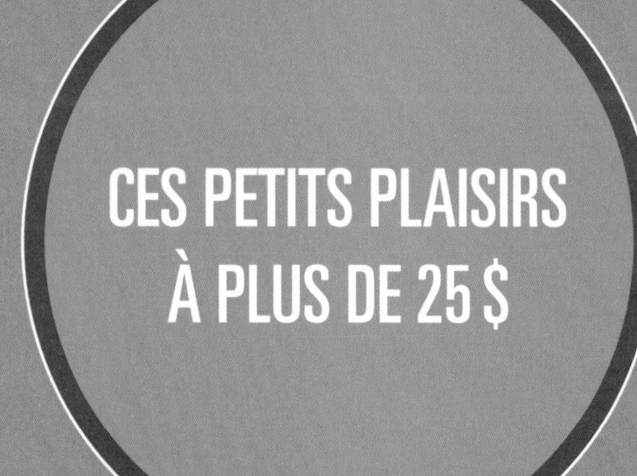

CES PETITS PLAISIRS À PLUS DE 25 $

VINS ROUGES ET VINS BLANCS

Ajuster les pendules n'est pas qu'un boulot d'horloger, d'hypnotiseur ou de politicien, même si on a bien envie de confondre ces deux derniers.

Sur la planète, depuis le 1er janvier dernier, il s'est produit plus de 14 602 481 litres de vin, soit 820 litres à la seconde ! Ajoutez simplement plusieurs milliers de litres pour les quelques minutes qu'il faut pour terminer la lecture de ce qui suit, et vos propres pendules seront à l'heure.

Avec près de 250 millions d'hectolitres vinifiés dans le monde pour le seul millésime 2014 (source : Organisation internationale de la Vigne et du Vin), il n'est pas hasardeux de dire qu'il se fait beaucoup de vin sur la planète bleue. Du bon comme du moins bon. Du cher comme du moins cher. Les prix exigés reflètent-ils la qualité des vins produits ? Dit autrement, certains sont-ils étrangement sous-évalués alors que d'autres sont, au contraire, outrageusement surévalués ? Cartographions ensemble l'état actuel des lieux.

Auparavant, cependant, démarrons notre propos sur cette conviction (bien) personnelle qu'une bouteille de vin, n'importe laquelle, ne devrait pas coûter plus de 50$ à l'achat. Strictement sur le plan de la qualité, rien ne justifie de payer plus. L'indice de bonheur immédiat ? Il se trouve dans un vin certes modeste, mais qui a le mérite d'être net, droit, friand, loyal et bien sûr marchand. Nous sommes ici dans l'univers simple et bon enfant du plaisir immédiat, avec un coût de production inférieur à 5$ le flacon (vin, bouteille, étiquette et bouchon inclus) alors qu'il tourne autour de 12$ pour l'élite des crus (Petrus compris !).

Les 45 dollars de plus ? Avec des coûts de production sensiblement les mêmes ou à peine plus élevés, les grands vizirs du marketing, les courtiers et autres grassouillets spéculateurs spécialistes des mouvements de balançoire lubrifiant l'inébranlable loi de l'offre et de la demande vous feront illico basculer dans un univers où le rêve se substitue rapidement à la réalité. Je n'ai rien inventé : voitures de luxe, bijoux, immobilier et j'en passe, sont aussi abonnés aux mêmes séances de cinéma.

Le vin est avant tout du rêve, et l'industrie ne manque pas d'en tirer profit. Bien sûr, le rêve sera en noir et blanc pour le «roturier» dont le coût de production tourne autour de 5$ la bouteille, mais passera rapidement en *technicolor* pour ceux auxquels on ajoute 45$ à l'achat, qu'on justifie par la fusion réussie entre les cépages, le climat, le terroir et, bien sûr, l'homme qui travaille dans l'ombre. Dans ce créneau se joue la différence, non pas sur le plan technique déjà acquis, mais sur celui, plus poétique, où l'émotion entre en scène. On n'est plus dans le registre de la «boisson», mais dans celui de l'«émotion». Nous parlons alors d'un grand vin (GV), voire d'un très grand vin (TGV). Rien de moins. Tout cela, faut-il le préciser, à moins de… 50 dollars! Au-delà de ce montant, le prix d'un vin est celui que vous consentez à payer. Ça, c'est votre affaire, pas la mienne. Je vous propose dans ce chapitre consacré aux meilleurs vins à plus de 25$ des choix qui, je l'espère, créeront en vous cette émotion.

Domaine Gerovassiliou Malagousia Vieilles Vignes 2014

DOMAINE GEROVASSILIOU

Grèce, Macédoine

CODE SAQ 11901120

23,45 $

Rarement a-t-on, dans un blanc sec, une notion fruitée si intimement associée avec le salé, que ce soit au nez comme en bouche. Ce malagousia, très aromatique, y parvient avec une facilité déconcertante derrière sa densité et son exceptionnelle fraîcheur. Un vin qui ne ressemble à aucun autre, offrant beaucoup de volume et d'expression sur une finale longue, bien fraîche. Les crustacés en raffoleront ! **CT** ★★★½

Jean-Claude Boisset Pouilly-Fuissé 2013

JEAN-CLAUDE BOISSET

France, Bourgogne

CODE SAQ 11675708

25,45 $

Comme le veut le dicton, « Tout est bon dans l'cochon ! » Idem chez Boisset, où le style épuré, économe, mais aussi précis et inspiré de Grégory Patriat élève subtilement les très nombreuses parcelles et autres lieux-dits vinifiés par la maison sans jamais les aplanir. Ce pouilly retient l'essentiel, à savoir l'expression minérale fine du terroir, une subtile tension qui arrondit la bouche et la prolonge. Trop bon. **CT** ★★★

Tenutae Lageder GAUN Chardonnay 2014

TENUTAE LAGEDER

Italie, Trentin Haut-Adige

CODE SAQ 00742114

25,95 $

Dire tout le bien et le respect que j'ai pour monsieur Lageder remplirait une page entière. Aussi intègre que ses nombreux vins produits dans un environnement où la biodiversité règne, il calibre au plus près chacune de ses créations. C'est pourquoi ce chardonnay que l'on pourrait rapprocher d'un pinot gris par sa consistance porte en lui-même la richesse et une dynamique naturelle qui l'ensoleillent plus encore. À ce prix… **MT** ★★★½

Henri Bourgeois Les Baronnes

HENRI BOURGEOIS

France, Vallée de la Loire

CODE SAQ 00303511

26,85 $

Le sympathique Philippe Dry me recevait au domaine en mai dernier, histoire de mordre du sauvignon dans ces beaux terroirs de silex et de marnes kimméridgiennes. Trois domaines : Fiou, Laporte et Bourgeois, ce dernier totalisant 75 hectares. Ces Baronnes sont le fruit d'achats de raisins sur diverses parcelles. Un blanc sec classique qui raisonne et résonne minéral, avec une impeccable touche saline. J'aime ! **CT** ★★★½

Patrick Piuze Terroirs de Chablis 2013

PATRICK PIUZE

France, Bourgogne

CODE SAQ 11180334

27,60$

Notre chablisien québécois préféré s'offre encore un beau morceau de terroir en bouteille avec son chablis énergique et vivace, brillant comme un morceau de cristal au soleil et minéral comme un bloc de craie liquéfié laissant sur les gencives une impression de tannin. Un blanc sec brillant qui tire vers le haut arômes et saveurs, comme si sa survie en dépendait. J'adore! **MT** ★★★½

La Chablisienne Chablis Les Vénérables Vieilles Vignes 2012

LA CHABLISIENNE

France, Bourgogne

CODE SAQ 11094639

29,25$

Ce 2012 qui succède au beau 2010 offre encore une fois une patine fine, un déroulé de saveurs fruitées et florales tout juste ponctuées par le minéral qui enchante le palais. Fruité mûr, avec une vibration fine de l'acidité qui vivifie et porte comme un chuchotement à l'oreille, mais en laissant au final un souvenir impérissable. Juste ce qu'il faut de densité et d'allonge pour épouser l'huître ou le pétoncle grillé. **MT** ★★★½

Donnafugata Ben Ryé 2013

DONNAFUGATA

Italie, Sicile

CODE SAQ 11301482

32,00$ les 375 ml

L'anecdote voudrait que Pierre Lurton, régisseur au Château Yquem (ça vous dit quelque chose ?), ait échangé à parts égales quelques bouteilles du moelleux le plus prestigieux de la planète avec ce muscat d'une complexité peu commune. Échanges culturels de bon aloi. Je vois déjà le Bordelais se régaler de la substantifique moelle de ce moelleux profond, multipiste, d'une longueur surréaliste en bouche. **LT** ★★★★

Château de Maligny Chablis Premier Cru Fourchaume 2013

JEAN DURUP PÈRE ET FILS

France, Bourgogne

CODE SAQ 00480145

36,50$

Ce fourchaume 2013 n'est ni profond ni très vineux. En revanche, il offre une sonorité et une brillance qui le destinent à ouvrir un repas fin, des langoustines, par exemple, pour mieux lancer la conversation. Il est délicat, bien sec, tendre et vivant, et il donne un volume en bouche modulé avec charme et précision. **MT** ★★★☆

Simonnet-Febvre Chablis Premier Cru Mont de Milieu 2011

SIMONNET-FEBVRE

France, Bourgogne

CODE SAQ 11094751

41,25$

Sur la rive droite du Serein, ce cru qui regarde plein sud montre un potentiel énorme. Déjà riche et opulent au nez, voilà que se confirme en bouche plus de substance encore, avec une sève, une densité, un velouté de textures qui ne se démentent pas. L'impression de mordre dans de la craie revient avec force sur la fin, suppléant une acidité qui se fait peut-être trop discrète. **MT** ★★★½

Vincent Pinard Harmonie 2011 et 2012

VINCENT PINARD

France, Vallée de la Loire

CODE SAQ 11804055

52,50$

Les deux parcelles de vieilles vignes exposées plein sud (Chêne Marchand et Plante des Prés) livrent ici, sous la houlette de nos deux sympathiques compères, un sauvignon qui semble d'abord en état de lévitation, puis rejoint rapidement ce terroir qui le ramène en terre. Une folle élégance derrière une sève fruitée et substantielle, suave, profonde et longue. Grand blanc de garde qu'élabore un duo à surveiller de près ! **LT** ★★★★

E. Guigal Lieu-dit Saint-Joseph 2012

E. GUIGAL

France, Vallée du Rhône

CODE SAQ 11872761

55,25 $

Une première pour moi que cette cuvée, véritable lieu-dit en appellation saint-joseph, dégustée en compagnie de Philippe Guigal, plutôt fier de cette bouteille. Ensemble de parcelles très précoces sises au sud de Saint-Joseph, dont les cuvées sont élevées en barrique 100 % fût neuf. Textures et volume sur un fruité très persistant, nuancé de notes florales et minérales. Top ! **MT** ★ ★ ★ ★

Pol Roger Brut

POL ROGER

France, Champagne

CODE SAQ 00051953

61,25 $

On oublie souvent, trop souvent, que le champagne est un vin. On dit bien « vin de Champagne », n'est-ce pas ? Ce Pol Roger se trouve délibérément hors de la section champagne cette année. Je voulais le célébrer à part, lui dire à quel point classe et sobriété vont de pair, sans toutefois exclure le grain de folie festif, la magie de mousse, l'esprit spirituel qui le guident. Toujours top ! **CT** ★ ★ ★ ★

Lanson Brut

LANSON PÈRE ET FILS
France, Champagne
CODE SAQ 11588639

62,75 $

Avoir des préjugés ne sert à rien. Une bouteille mal aimée il y a trois ans n'a pas laissé un souvenir impérissable ? Redonnez-lui une chance. C'est ce que j'ai fait avec cette cuvée rosée dégorgée depuis 18 mois et qui présentait une insoutenable fraîcheur. Effervescence fine, fruitée et délicate, tension manifeste tout au long du parcours en bouche, élégance… voilà une belle bouteille apéritive ! **CT** ★★★★

Louis Jadot Beaune Grèves Le Clos Blanc Premier Cru 2010

LOUIS JADOT
France, Bourgogne
CODE SAQ 11187051

79,00 $

Moins d'un hectare pour un blanc à forte personnalité. Un blanc qui laisse coi tant la puissance, la sève, la mâche se font sentir dès la première gorgée, une mâche qui rapidement vire sur des amers presque salins, créant une tension, presque un survoltage, sur une finale qui ne veut décidément pas mourir. Une véritable leçon de terroir, mise en verve par une maison qui sait y faire. **MT** ★★★★

Chanson Père et Fils Corton Vergennes grand cru 2010

CHANSON PÈRE ET FILS

France, Bourgogne

CODE SAQ 11846124

148,00 $

Le 2012 dégusté sur place en mai 2015 était fabuleux. Près de cinq étoiles au compteur ! Ce 2010 n'est pas en reste. Vers Ladoix-Sérigny, cet îlot de blanc dans un terroir calcaire de rouge (seulement 66 ares pour 9 pièces de 228 litres !) dessine un blanc qui s'émancipe avec tension sur la poire, avec une sève bien construite, joliment musclée, incomparable de race. Du grand art signé Chanson. **LT** ★ ★ ★ ★

Louis Latour Corton-Charlemagne grand cru 2010 et 2012

LOUIS LATOUR

France, Bourgogne

CODE SAQ 11481137

189,00 $

Les deux millésimes sont de pures merveilles, et vos yeux s'écarquilleront lorsque, après une bonne heure de carafe, ce chardonnay montera en vous, tel un vent puissant ratissant tous les bourgeons gustatifs sur son passage. La puissance y est encore une fois combinée avec la finesse, liant une épaisseur minérale à un fruité qui évoque la compote de pommes chaude. Divin. **LT** ★ ★ ★ ★

Mazzei Fonterutoli Chianti-Classico 2013

MARCHESI MAZZEI
Italie, Toscane
CODE SAQ 00856484

25,75$

La belle histoire des sangioveses, au pluriel, se poursuit. Au pluriel, car ce domaine excelle à dévoiler le sangiovese sous de multiples visages, par clones interposés. Il en résulte un vin complet par la jolie densité de son fruité, élégant par les dispositions de son élevage. Moins riche et soutenu en tannins que les 2010 et 2012, ce 2013 se boira pour son fruit avec un sauté de veau aux champignons des bois. **CT** ★ ★ ★

Tolaini Al Passo 2011

TOLAINI SOCIETA AGRICOLA
Italie, Toscane
CODE SAQ 11794344

26,50$

L'impression d'être en Italie sur une bicyclette à dévaler les vallons doux d'une Toscane parfumée aux herbes. Ce sangiovese nous y plonge, avec un sens aigu du plaisir combiné à une volonté d'accompagner à table une *pasta al pomodoro* qui régalera les amis, tout simplement. Un rouge digeste, pas trop compliqué, mais pourvu de superbes tannins fruités qui resserrent le palais sans l'affliger. Délicieux ! **LT** ★ ★ ★

Fratelli Allessandria Verduno Pelaverga Speziale 2014

FRATELLI ALESSANDRIA

Italie, Piémont

CODE SAQ 11863021

26,55 $

Curieux cépage que ce pelaverga qui, nous apprend la magnifique encyclopédie de Jancis Robinson *Wine Grapes*, poussait déjà dans la province de Cuneo sous le pape Julius II en 1511. Un rouge moderne avant l'heure, car derrière une robe pâle – on est à la limite du rosé ici – le fruité demeure léger, vivace, souple et articulé quand il n'est pas légèrement perlant selon le producteur qui le fait. Servir frais avec des charcuteries. **CT** ★ ★ ★

Château de Pierreux Brouilly Réserve du Château 2013

CHÂTEAU DE PIERREUX

France, Beaujolais

CODE SAQ 10368001

28,10 $

Il n'y a pas eu de 2010 ni de 2012 pour cette réserve alors que le 2013 est produit en petites quantités en raison de volumes réduits. Le gamay est ici coloré et vigoureux, consistant, presque autoritaire, avec une sève qui mord littéralement le terroir. Quelques années de cave ajouteront à son relief en lui imprimant un velours bien serré. Impeccablement vinifié. **MT** ★ ★ ★ ☆

Château Garraud 2010

VIGNOBLES LÉON NONY

France, Bordeaux

CODE SAQ 00978072

29,85$

Après un 2009 qui a un peu bousculé les codes, voici un 2010 qui retombe sur ses pattes avec tout l'équilibre reconnu aux vins de Bordeaux. Il y a bien un petit côté capiteux, mais la matière n'en souffre pas. Le fruité y est apparent et le terroir présent, avec une touche d'humus et d'écorces, un fruit mûr tout juste «épicé» par l'élevage. C'est (presque) fourni comme un pomerol, sans toutefois en coûter le prix. **MT** ★★★☆

Jean-Pierre Moueix Pomerol 2011

JEAN-PIERRE MOUEIX

France, Bordeaux

CODE SAQ 00739623

31,50$

Dégusté à maintes reprises au cours de la dernière année, ce pomerol qui est aussi LE grand classique sur les tablettes d'ici ne m'est jamais apparu aussi accompli qu'en août 2015, comme si l'ensemble s'était resserré plus encore autour d'une gaine tannique qui ne présente aucune aspérité ni dureté. Une pointe d'austérité dans ce millésime, mais un vin harmonieux, sans concession. **CT** ★★★☆

Domaine Gardiés Le Clos des Vignes 2010

JEAN GARDIÈS

France, Languedoc-Roussillon

CODE SAQ 10781445

32,25$

Si vous êtes un habitué du très sympathique Côtes du Roussillon Mas Las Cabes (17,40$ – 11096159 – ★★★), vous serez transporté par cette cuvée où brille majoritairement le grenache noir. Le fruité y est juvénile et concentré, d'une classe qui se distingue rapidement au nez comme en bouche, d'un tracé frais et stylé, sans bavures du côté tannique. Un bijou créé par un artisan inspiré. **LT** ★★★★

Château Bouscassé Vieilles Vignes 2007

ALAIN BRUMONT

France, Sud-Ouest

CODE SAQ 00904979

35,00$

Plusieurs, dont votre humble chroniqueur, disent que Bouscassé se révèle être la meilleure affaire de l'écurie Brumont. Et Dieu sait que cette écurie recèle de magnifiques étalons ! Par ailleurs, on peut s'étonner de constater les vins se bonifient toujours très lentement en conservant leur cohésion et en ne se libérant qu'au fil du temps. Toujours sombre, la robe laisse place aux fruits mûrs, encadrés par un boisé présent mais discret.

LT ★★★★

Vina Real Gran Reserva Rioja 2008

CAMPANIA VINICOLA DEL NORTE DE ESPANA

Espagne, La Rioja

CODE SAQ 12497501

35,00$

Rarement boit-on des vins à maturité, mais qui conservent, derrière des tannins assagis, une matière fruitée leur permettant de franchir encore (très) aisément une autre décennie. Très complexe sur le plan aromatique, avec une grande fraîcheur qui ouvre largement les portes. On y sent une texture veloutée qui, comme un long ruban, ne cesse de se dérouler et de se dérouler encore… **LT** ★ ★ ★ ★

San Fabiano Calcinaia Cellole Gran Selezione di Chianti Classico 2011

SAN FABIANO CALCINAIA

Italie, Toscane

CODE SAQ 12335078

36,25$

Un peu plus de 85 % de sangiovese (qui a dit que le sangiovese ne se suffisait pas à lui-même ?) forme la trame bien serrée de ce rouge qui semble avoir de très beaux jours devant lui. Matière énorme, mais canalisée avec une habileté et un sens des proportions manifestes. J'apprécie la droiture des arômes, mûrs mais sans verser dans l'excès, les tannins bien nourris, frais, allongés sur la finale. **LT** ★ ★ ★ ★

Domaine du Gros'Noré Bandol 2011

ALAIN PASCAL

France, Provence

CODE SAQ 10884583

38,25 $

Déjà passablement accessible, le bandol de monsieur Pascal dans ce millésime m'apparaît plus accompli que le 2010. Il y a là une matière fruitée dangereuse comme il y a des jeux dangereux, car à trop s'y frotter on y prend goût! Surtout que la puissance y règne, tapie dans l'ombre, prête à enrichir le palais tout en en adoucissant les tanins abondants qui maillent fermement l'ensemble. Du long terme, le gaillard. **LT** ★ ★ ★ ★

Château des Jacques Moulin-à-Vent Clos des Rochegrès 2012

LOUIS JADOT

France, Beaujolais

CODE SAQ 00856054

38,50 $

Nous sommes dans une autre ambiance que le grand Morgon Côte du Py 2012 (38,25 $ - 11589851) de la même maison, mais il y reste tout de même une sensation de minéral très forte au palais, une espèce de granite décomposé qui, sur un fruité ample, le cisèle comme le ferait un laser. C'est à la fois musclé et aérien, long en bouche. **LT** ★ ★ ★ ★

Château Mont-Redon Châteuneuf-du-Pape 2010

ABEILLE – FABRE – CHÂTEAU MONT-REDON
France, Vallée du Rhône
CODE SAQ 00856666

42,75$

Ce 2010 est déjà considéré comme un grand millésime, au même titre que le 2012 à venir. Ce magnifique domaine (il faut voir les vieilles vignes de grenache sur galets roulés) est réglé comme du papier à musique. Les partitions s'y enchaînent au fil des millésimes avec précision et élégance. Des grenaches mûrs, des syrahs sexy et du mourvèdre pour lier et affirmer le tout. Harmonie et beauté. **LT** ★★★★

Principiano Ferdinando Barolo Serralunga 2011

PRINCIPIANO FERNANDINO
Italie, Piémont
CODE SAQ 11387301

43$

Il y a dans les vins de la commune de Serralunga d'Alba une grâce difficile à nommer. Comme si elle nous échappait sans cesse, préférant substituer aux tannins dont il ne faut guère sous-estimer la présence un profil floral et juvénile d'une extraordinaire présence. Voilà un rouge fort séducteur et, oui, féminin, avec des tannins soyeux, charnus et presque gras, qui s'étagent par paliers sans toutefois s'accumuler. Brillant! **MT** ★★★★

Zymè Celestino Gaspari 60 20 20 2010

ZYME DI CELESTINO GASPARI
Italie, Vénétie
CODE SAQ 11581058

44,50$

La pointure est grosse. Belle aussi. Aurais-je pu imaginer, lors de la dégustation de mes premiers valpolicellas il y a au moins quatre décennies, qu'on pouvait aussi, dans cette région, livrer une telle performance avec l'assemblage typiquement bordelais ? Toujours est-il qu'il s'agit d'un produit mûr, dense, bien frais avec des tannins sphériques serrés et abondants. Vin de soir et d'entrecôte grillée aux morilles. **LT** ★ ★ ★ ★

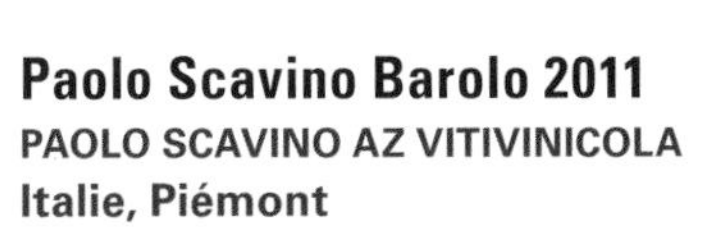

Paolo Scavino Barolo 2011

PAOLO SCAVINO AZ VITIVINICOLA
Italie, Piémont
CODE SAQ 12533525

47,00$

Ce barolo arrivera sur nos tablettes au cœur de l'hiver (en février 2016) pour nous donner une leçon de savoir-faire. Non pas que nous en soyons dépourvus, mais bien pour nous rappeler à quel point des tannins peuvent être civilisés et l'ensemble peut être construit tout en restant harmonieux. Chez Scavino, le barolo semble être une seconde nature, un vin qui avance à pas feutrés et possède de la texture. De la classe ! **LT** ★ ★ ★ ★

Ettore Germano Barolo Serralunga 2010

GERMANO ETTORE DI GERMANO SERGIO

Italie, Piémont

CODE SAQ 12184687

49,75 $

Voilà un barolo classique, un pied dans la tradition, l'autre dans une modernité pas si moderne que ça finalement. Il est propre et net, avec un fruité sain, mûr, parfaitement découpé qui met un certain temps à s'ouvrir pleinement. Car les tannins le contiennent, sans toutefois en découdre, le charpentant, «l'éduquant» pour mieux en exprimer la plénitude. Beaucoup de mâche, de caractère. Attendre avant de le déguster. **LT** ★★★★

Jean-Claude Boisset Ladoix 1er Cru Hautes Mourottes 2012 et 2013

JEAN-CLAUDE BOISSET

France, Bourgogne

CODE SAQ 12603554

51,75 $

« Voilà un Ladoix déguisé en Corton», lançait, l'œil malicieux, l'homme de chai Grégory Patriat en parlant de son chouchou. Par conséquent, pas un Ladoix guilleret et facile. Le fruité y est franc, parleur et abondant, avec des tannins maillés serrés, dans les deux millésimes, le tout pourvu d'une sève consistante qui confère beaucoup de sérieux à la finale. Ici, 50 % de vendange entière apporte un surcroît d'éclat. Un régal ! **LT** ★★★½

Castello di Ama Haiku 2010

CASTELLO DI AMA
Italie, Toscane
CODE SAQ 12444611

54,25 $

On atteint, avec cette cuvée composée moitié sangiovese et moitié merlot et en cabernet franc, un sommet d'élégance, mais surtout d'harmonie, dans ce style si cher à Castello di Ama. Nous sommes dans le règne de la beauté, au sein d'un équilibre serein où le fruité devient un prétexte au rêve et le vin, un prétexte à intégrer la nature locale. Fines nuances florales et épicées, bouche tendre, fraîche, d'une allonge certaine. **MT** ★★★★

Perrin et Fils Gigondas Vieilles Vignes 2010

PERRIN ET FILS
France, Vallée du Rhône
CODE SAQ 11443843

58,00 $

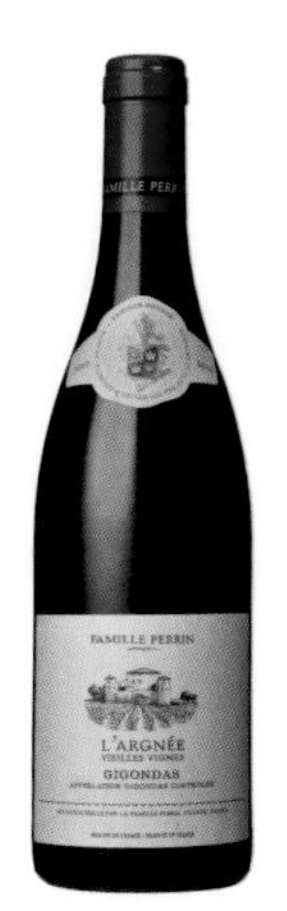

Ici, l'élément terroir joue à fond : des sables qui favorisent un vignoble préphylloxérique à 350 mètres d'altitude, où le grenache prend plus que ses aises. L'élevage foudre et barrique (50 %) lui assure une matière charnue d'une densité inouïe, mais avec une élégance à la clé typique de cette belle appellation. À rechercher aussi : le fameux Domaine du Clos des Tourelles. Les 2012 sont également brillants ! **LT** ★★★★★

Ornellaia Le Serre Bolgheri Nuove 2013

ORNELLAIA E MASSETO

Italie, Toscagne – bolgheri

CODE SAQ 10223574

60,00$

Le deuxième vin d'Ornellaia, issu de jeunes vignes du domaine, n'est pas subordonné au premier du côté qualité. Tout l'esprit du domaine se résume ici, dans les mêmes proportions d'équilibre et de finition, cet idéal résumant le grand terroir local. Beaucoup d'éclat et de définition, une texture fraîche portant le fruit avec rigueur, distinction, et un boisé fin qui prolonge le tout. **MT** ★★★☆

Dominus Estate Napanook 2011

DOMINUS ESTATE

États-Unis, Californie

CODE SAQ 11650439

65,25$

Il y avait belle lurette que je n'avais plongé dans cette cuvée tirée à quatre épingles (le Dominus 2011 est lui aussi incontournable – 155$ – 11650480 – ★★★★), fierté locale de l'équipe Moueix. Un rouge somptueux qui se love sur des tanins si gracieux qu'on les dirait venir tout droit de Pomerol, portant à la fois richesse et élégance sur un ensemble d'une harmonie parfaite. **LT** ★★★★

Les Songes de Magdelaine 2010

JEAN-PIERRE MOUEIX

France, Bordeaux

CODE SAQ 12509648

68,00 $

Je vous invite à déguster la trilogie de ces « songes » disponible actuellement, à savoir les vins de 2008 et 2009 qui, avec celui de 2010, sont fascinants. Si le 2008 est à point, le 2009 brille par une richesse, une désinvolture propre au millésime, alors que le 2010 retombe sur ses pattes avec assurance, sans aucun doute doté d'une fruitée qui le distingue d'entre tous. **LT** ★★★★

Montes Alpha M 2010

MONTES

Chili

CODE SAQ 00714444

83,25 $

Avec 80 % de cabernet sauvignon bien tassé, cet assemblage de type bordelais non seulement brille par la richesse de son fruit, par sa densité et par l'abondance de ses tannins mûrs et très fins, mais réussit le pari de demeurer tout à fait civilisé. Admirable de précision, quel que soit l'angle de vue. Et puis, voyez-moi cette texture dont le fondant semble enrichi par le grain boisé de la barrique. Un grand vin chilien ! **MT** ★★★★

Poderi Aldo Conterno Barolo Bussia 2011

PODERI ALDO CONTERNO

Italie, Piémont

CODE SAQ 12008237

90,50$

À l'ouverture de la bouteille, sans même l'avoir mis en carafe, des arômes soutenus de cacao fin se font sentir sans concession. Puis arrive un mélange rare d'herbes, d'épices et de terroir lourd, comme si l'argile compacte venait recouvrir le tout. Nous sommes en présence d'un grand vin de «lieu», affirmé, suggestif, d'une grande amplitude. Paradoxalement, tout se fait sans brutalité, avec une rare distinction. **LT** ★★★★½

Heitz Trailside Cabernet-Sauvignon 2009

HEITZ WINE CELLARS

États-Unis, Californie

CODE SAQ 12186455

114,25$

Si la cuvée Martha's Vineyard (192,00$ - 11937851) n'arrive qu'en mars 2016 (superbe 2010 !), la cuvée Napa Valley (69,25$ – 11898848 – ★★★½) et surtout la Trailside 2009 démontrent une fois de plus la signature de la maison. Un travail de précision et d'inspiration puisé à des terroirs d'exception. La bouche est ici corsée, mais sapide, mûre sans excès, se libérant tout en se détaillant longuement sur la finale minérale. **LT** ★★★★

Robert Mondavi Winery Reserve Cabernet-Sauvignon 2010

ROBERT MONDAVI WINERY
États-Unis, Californie
CODE SAQ 00705285

137,75 $

La Mecque bordelaise du vin a certes ici un rival de taille avec ce grand cabernet sauvignon issu du fameux vignoble To Kalon, sans doute l'élite parmi trois ou quatre perles du terroir local. Incontestablement du niveau d'un second grand cru girondin. Le filon tannique est fin, le grain et la sève fruités, consistants, avec un souci du détail étonnant. Les 1976, 1981, 1996 et 2006 dégustés sur place n'avaient pas pris une ride, ou si peu ! **LT** ★★★★

Mascarello Monprivato Barolo 2010

GIUSEPPE MASCARELLO E FIGLIO
Italie, Piémont
CODE SAQ 12290594

154 $

L'homme, qui balisait déjà des parcelles de crus au début des années 1970, poursuit sur une lancée qui n'emprunte guère aux artifices du barolo moderne, certes luxuriant et facile d'accès, mais qui aplanit trop souvent les différences de terroirs. Ce « traditionnel » compte parmi les grands rouges de la planète, par sa capacité de faire la queue de paon, mais aussi par celle d'allier finesse et puissance sans fléchir. Grand vin ! **LT** ★★★★☆

Ornellaia Bolgheri 2011 et 2012

ORNELLAIA E MASSETO

Italie, Toscane

CODE SAQ 11973238

195,25 $

Ici, du côté de Bolgheri, 30 années séparent le premier millésime de cet assemblage typiquement bordelais où le cabernet sauvignon domine. Deux millésimes marqués par la chaleur, avec des profils différents : plus profond, de haute densité pour le 2011 moelleux en tannins et racé sur la finale ; plus serré pour le 2012 avec des tannins très fins et toujours une belle longueur, une finition remarquableée. **LT** ★ ★ ★ ★

Joseph Phelps Insignia Napa Valley 2011

JOSEPH PHELPS VINEYARDS

États-Unis, Californie

CODE SAQ 12361989

240 $

Depuis quatre ans, les millésimes chauds avec perspective de sécheresse sont dans l'air, sans toutefois nuie à la grande noblesse des tannins de cette prestigieuse cuvée. En effet, ce rouge hyper-soigné ne perd ni en fraîcheur ni en classe, avec un dessin en bouche très distingué, des tannins abondants et très fins, le tout emballé sous un élevage des plus sophistiqués. On en redemande. **LT** ★ ★ ★ ★

Gérard Bertrand Clos d'Ora Minervois La Livinière 2012

GÉRARD BERTRAND

France, Languedoc-Roussillon

CODE SAQ 12425452

262 $

En dégustant ce Clos d'Ora 2012, j'ai tout de suite été happé par sa fraîcheur «vibratoire», une espèce d'apesanteur que de fins tannins lient à une «base» plus tellurique. Mais surtout, j'ai été «porté» par lui, plutôt que soumis à la dictature de descriptifs organoleptiques tous plus alambiqués les uns que les autres. En un mot, j'étais devenu ce vin au lieu d'*avoir* raison de lui. **LT** ★ ★ ★ ★ ★

Jean-Michel Gerin La Landonne 2011

JEAN-MICHEL GERIN

France, Vallée du Rhône

CODE SAQ 11871194

277 $

Jean-Michel Gerin n'est sans doute pas le plus infernal du trio Fisher-Gerin-Combier qui forme ce groupe éponyme. Il a un doigté, comment dirais-je..., «féminin», sensible, attentionné même. Ses côtes rôties Les Grandes Places (120 $ - 12193014) et Vignes du Seigneur en témoignent, de même que cette Landonne fine mais encore prise tout entière dans son bloc minéral. L'attendre pour mieux l'écouter ensuite. **LT** ★ ★ ★ ★

TOP 10

LES ROSÉS

Avec les rosés, il faut oser déconstruire sa pensée, et mon objectif n'est pas ici, tant s'en faut, de vous faire changer d'idée. Le rosé est déjà, à vos yeux, un vin condamné ?

Avouez que ça vous fait du bien de joindre votre voix à celle des gens pour qui le rosé n'est même pas du vin ! Permettez pourtant que j'insiste. Un chroniqueur doit parfois insister, surtout si la cause est difficile. Le « grand » rosé existe. Voici, en échange de quelques idées reçues, des tentatives de redressement.

LE ROSÉ N'EST BU QUE PAR DES DALTONIENS OU DES INDÉCIS. Un peu de respect pour celles et ceux à qui le pigment astaxanthine et ses dérivés chromatiques donnent du fil à retordre lorsque vient le temps de distinguer les hommes roses du Québec des Flamands roses belges. Quant aux indécis, même les séparatistes et les fédéralistes vous diront de vous brancher. On ne fait pas d'omelette sans casser d'œufs. De même, on ne fait pas de rosé en mélangeant blanc et rouge.

LE ROSÉ N'EST QU'UN VIN DE PISCINE. Je préfère un vin de piscine à un vin de garage. Non pas parce que les sirènes lascives et les dauphins huilés s'y massent tout autour, mais parce que la présence de bidons d'essence et de tondeuses risquerait d'en refroidir substantiellement l'ambiance. Puis, de même que pour un blanc ou un rouge, le rosé a parfaitement le droit de n'être qu'un vin de soif.

LE ROSÉ NE S'APPUIE QUE SUR LA TECHNOLOGIE POUR EXISTER RÉELLEMENT. Vrai, une technologie de pointe est importante pour élaborer un bon rosé. Chaîne de froid en continu, pressoir sous azote en circuit fermé, levurage déterminé, etc., ces techniques demandent plus de maîtrise que pour fabriquer un bon blanc ou un bon rouge. Moins vrai cependant si on ne s'appuie que sur la technologie. Comme pour le blanc et le rouge, le rosé trouve ses assises, sa subtilité, son expression et sa race dans l'adéquation parfaite entre cépages, terroirs, climats et expertise humaine.

LE ROSÉ DOIT ÊTRE BU 30 MINUTES APRÈS SA MISE EN BOUTEILLE. Il y a rosés et rosés. Ceux qui sont vinifiés pour répondre aux besoins impératifs d'une mise en marché estivale et qu'on nomme affectueusement «vins de soif» n'ont que très peu d'intérêt à survivre en bouteille plus de six mois, voire une année. Les autres, ceux qui captent et chavirent les sens, souvent destinés à la haute gastronomie, sont parfois aussi fascinants que leurs collègues blancs ou rouges qui se bonifient sur une décennie ou plus. À celui qui me balancera encore que le rosé est né pour un p'tit pain, je répondrai qu'il aille se faire un sandwich avec du pain pas d'croûtes arrosé d'une petite piquette.

LE ROSÉ NE DEVRAIT JAMAIS ÊTRE VENDU CHER. Remettons les pendules à l'heure. Un mauvais vin est toujours trop cher payé, qu'il soit blanc, rouge ou rosé. Le prix d'un vin, ou de n'importe quel autre produit, d'ailleurs, sera toujours celui que vous consentirez à payer. De même, s'il n'est pas à votre goût, le plus cher des vins sera toujours trop cher payé. La Palice n'aurait pas mieux dit. Si le rosé «de soif», qui n'a d'autres prétentions que la fraîcheur et une expression aromatique et gustative axée essentiellement sur la gymnastique des levures utilisées, tourne autour de 15,00$ la bouteille, d'autres, plus ambitieux quant au prix demandé (plus de 25,00$), pourront aussi étonner sur le plan de la complexité.

Les meilleurs rosés dégustés cette année, selon moi, nous parviennent encore de Provence. Vous aurez d'ailleurs remarqué qu'au fil des ans cette appellation du sud de la France offre, en moyenne, les rosés les plus fins de la planète vin. Difficile de contester ce fait. La visite de Sacha Lichine au Québec, au début de l'été 2015, m'a permis de constater que le rosé pouvait, à l'image des grands vins blancs et des grands vins rouges toutes catégories confondues, se tailler une place au sommet de la pyramide. La dégustation de ses quatre cuvées était sur ce point éloquente.

Parlons donc du Whispering Angel 2014 (24,45$ – 11416984 – ★★★), du Rock Angel (43,25$ – Importation privée au 514 907-9680 – ★★★✫), de la cuvée Les Clans (74,75$ – I.P. – ★★★★) ou du Garrus qui, à 160,00$ la bouteille fera jaser, mais qui est impeccable sur toute la ligne (I.P. – ★★★★✫). À une époque où on boit plus de rosés en France que de blancs ou de rouges, avec un prix, dans 80% des cas, sous la barre des cinq euros (tout le contraire à l'export), il pourrait être prétentieux pour quiconque de proposer des rosés à 50,00$, 75,00$ ou encore 160,00$ la bouteille. Les rosés de Lichine en valent-ils la chandelle ? Disons qu'ils comblent un créneau qui n'existait pas auparavant. S'il existe de grands blancs et de grands rouges, il existe maintenant de grands rosés. Aux mêmes prix. Pourquoi Sacha Lichine les vendrait-il moins cher ? Les envieux bourrés de préjugés pourront toujours écluser leurs rosés autour de la piscine. Sacha Lichine aura eu le mérite, lui, de les faire passer au salon. Chapeau, mister Lichine !

À lire aussi sur le même sujet : http://www.ledevoir.com/art-de-vivre/vin/409597/provence-lumieres-et-tonalites-1

120 Santa Rita 2014

VINA SANTA RITA
Chili, Valle Central
CODE SAQ 00266502

9,95 $

Sans doute mon plaisir coupable de ce guide. Pour tout dire, ce vin n'est pas nécessairement ma tasse de thé, mais il est plutôt bien fignolé. Surtout, voilà un type de rosé bien particulier, à la robe colorée et aux tannins consolidés, qui se laissent ici «gravir», comme le ferait presque un rouge. Un rosé de caractère, dénué de finesse certes, mais tout de même capable d'épauler n'importe quel plat à table, du poisson à la viande rouge en passant par de la volaille épicée (type cari), tout cela à un prix à faire rougir (ou rosir, c'est selon). Un rosé savoureux, bien sec, au goût frais et franc, nettement plus recommandable que ces «rosés de filles» édulcorés et péripatéticiens que propose la SAQ en début de saison (une honte, soit dit en passant). **CT** ★ ★

CÉPAGE CABERNET-SAUVIGNON

Vous avez aimé ce vin ? Vous pourriez aimer aussi
Marqués de Caceres 2014, Rioja, Espagne
15,25 $ – 10263242 – ★ ★ ★

Cazal Viel Vieilles Vignes 2014

LAURENT MIQUEL SAS

France, Languedoc-Roussillon

CODE SAQ 10510354

12,40$

La famille Miquel a tout compris. Non seulement la gamme maison dans sa totalité colle au mieux à l'esprit du terroir, mais elle sait demeurer réaliste côté prix. C'est bien ce qui m'étonne: même à ce prix, la qualité est immanquablement au rendez-vous. Voyez-vous, et j'y crois encore, la qualité a un prix. Je suppose ici que les marges sont faibles pour le producteur. Mais revenons à l'assemblage de ce rosé, mené rondement avec un caractère fruité et épicé fort savoureux, une fraîcheur étonnante même, et un petit quelque chose de minéral (les schistes locaux?) qui avive plus encore la finale. À servir avec une ratatouille, des beignets de poissons frits ou une salade de crevettes. **CT** ★★✯

CÉPAGES SYRAH, GRENACHE, CINSAULT

Vous avez aimé ce vin? Vous pourriez aimer aussi
Santa Digna Caberne 2014, Soc. Vinicola Miguel Torres, Chili 15,40$ – 12226277 – ★★★

Borsao Rosado Seleccion

BODEGAS BORSAO

Espagne, Aragon

CODE SAQ 10754201

12,95 $

La compétition est féroce dans cette catégorie de prix. Beaucoup plus rude que l'investiture américaine qui oppose Hillary Clinton à Jeb Bush, par exemple. Mais ici, pas de coup en dessous de la ceinture. Nous restons civilisés. Derrière sa robe en apparence pâle et fragile, je dirais que ce vin fait plus que son job. Mais ce n'est pas non plus un rustre qui écrase tout sur son passage. Son profil offre une netteté impeccable, des nuances florales qui devraient séduire l'horticulteur en vous, une texture, un moelleux sensuel, rattrapé tout de même en finale par une saine poigne d'amertume parfaitement contrôlée. Bref, à ce prix, une des meilleures affaires sur le marché. À servir avec une tarte aux tomates et aux poivrons rouges. **CT** ★★☆

CÉPAGE GRENACHE

Vous avez aimé ce vin ? Vous pourriez aimer aussi
Domaine de Gournier, Domaine de Gournier, France 12,95 $ – 00464602 – ★★

Col de L'Orb 2014

CAVE DE ROQUEBRUN

France, Languedoc-Rousillon

CODE SAQ 00642504

14,05 $

Pas compliqué, toujours bon, comme me le disait encore cette année ma bonne vieille mère entre deux bouchées de pâté de saumon (sans son ketchup, bien sûr). Ce qu'elle lui trouve ? Un glissant de bouche, aussi lisse que le dos d'un canard sur lequel une goutte d'eau ruissellerait et aussi parfumé que toutes les pivoines réunies des Jardins de Métis dans le Bas-du-Fleuve, par une fin d'après-midi de juillet. Un rosé sec, gourmand, savoureux, un rosé qui taquine subtilement les papilles en raison d'une acidité relançant continuellement le fruité et le caractère épicé de l'ensemble. Une belle bouteille en somme, homogène, équilibrée, vivace, dotée d'une finale qui, sans être longue, laisse un véritable goût de fraîcheur. **CT** ★★☆

CÉPAGES SYRAH, GRENACHE

Vous avez aimé ce vin ? Vous pourriez aimer aussi
Château Bellevue La Forêt 2014, Château Bellevue la Forêt, France 16,75 $ – 00219840 – ★★☆

Buti Nages 2014

MICHEL GASSIER

France, Vallée du Rhône

CODE SAQ 00427625

15,95 $

Vous avez vu cette panoplie de rosés sur les tablettes l'été dernier ? Plus que des rosés de piscine, c'étaient des rosés de cour de récréation où des jeunes qui avaient tout juste 18 ans s'amusaient avec un ballon et sautaient à la marelle ! Je tais ici leurs noms (ceux des rosés, pas ceux des jeunes), car ils dénaturaient, par leur composition et leurs taux de sucre résiduels à faire tituber un diabétique, le vin rosé qui se respecte. Chez Gassier, au contraire, il y a de la soif, une soif naturelle que fait déjà sourdre en nous l'esprit festif d'un bon rosé. Un rosé de caractère, simple d'expression, mais diablement accrocheur, efficace avec sa pointe de vivacité et un croquant naturel qui satisfait la fin de bouche. Parfaite maîtrise technique, sans verser dans la vulgarité des sucres. **CT** ★ ★ ☆

CÉPAGES GRENACHE NOIR, SYRAH, GRENACHE

Vous avez aimé ce vin ? Vous pourriez aimer aussi
Rosé de St-Jacques 2014, Domaine St-Jacques, Canada Québec, 16,00 $ – 11427544 – ★ ★ ☆

Château La Lieue Coteaux Varois en Provence 2014

FAMILLE VIAL
France, Provence
CODE SAQ 11687021

16,90 $

J'ai encore essayé, à trois reprises, d'exclure ce rosé du *Guide Aubry*, mais sans succès. Dégusté à l'aveugle, dégusté entre amis et dégusté avec les préjugés les plus tenaces du monde, il est toujours bon vainqueur. Chaque fois ! Comment diable ce rosé bio s'y prend-il ? On y trouve un mélange de moderne et d'ancien, d'innovation et de secrets de famille bien gardés. On a surtout l'impression d'une rencontre au sommet pour coccinelles désabusées par l'environnement terriblement biologique du vignoble où elles s'ébattent sans fin. Oui, un bio savoureux qui fait du bien, peu acide cependant, avec un fruité et une vinosité rattrapés en fin de parcours par une pointe d'amertume seyante. Un rosé hors des sentiers technologiques, plutôt sur les rails du bonheur. Un régal avec un tagine d'agneau ! **CT** ★ ★ ★

CÉPAGES CINSAULT, GRENACHE

Vous avez aimé ce vin ? Vous pourriez aimer aussi
Reméage 2014, Les Vins de Vienne, France
18,35 $ – 12500361 – ★★★

Château de Lancyre 2014

DURAND ET VALENTIN

France, Languedoc

CODE SAQ 10263841

16,95 $

La beauté de ce vin est qu'il semble se renouveler sans cesse tout en intriguant l'amateur qui croyait encore revivre la même histoire en matière de rosé. Au début de l'été, ce rosé a ouvert la saison avec un clin d'œil complice qui pourrait bien se prolonger jusqu'à la dinde de Noël, évidemment accompagnée de ses atocas chéris. En fait, j'ai eu sous la main et dans le verre bien plus qu'un rosé dit «saisonnier». Il a une belle structure, mais aussi une sève, une ampleur et toute la densité fruitée voulue pour voir venir la grosse volaille sans s'évanouir au passage. Une signature du Sud très forte, d'une constance exemplaire d'un millésime à l'autre. Remarquable pour le prix. **CT** ★★★

CÉPAGES SYRAH, GRENACHE, CINSAULT

Vous avez aimé ce vin ? Vous pourriez aimer aussi
Domaine Houchart Provence 2014, Vignobles Famille Quiot, France 17,30 $ – 11686503 – ★★☆

Pétale de Rose 2014

RÉGINE SUMEIRE
France, Provence
CODE SAQ 00425496

19,85 $

On dira ce qu'on voudra des concours, qu'ils n'ont de valeur que par la qualité des membres du jury qui le composent, mais lorsqu'il s'agit du 2015 Decanter World Wine Award, force est d'admettre que nous sommes en présence d'un des événements les plus crédibles du genre. Où veux-je en venir? Je veux seulement souligner que le rosé de Régine Sumeire a remporté à ce concours la palme d'or parmi les quelque 30 maisons primées pour l'occasion, dans un bassin de, tenez-vous bien… 15 930 vins soumis en compétition. Heureuse, madame Sumeire? Disons qu'avec tout le travail effectué depuis de nombreuses années, il est admis que ce 2014 casse littéralement la baraque! En finesse, toutefois. Sans doute est-ce là le lot des vins de Provence, mais cette finesse, cette précision sont en aval ce que le travail au vignoble est en amont.
CT ★★★½

CÉPAGES SYRAH, GRENACHE, CINSAULT

Vous avez aimé ce vin? Vous pourriez aimer aussi
Chartier Créateur d'Harmonies Le Rosé 2014, Sélection Chartier, France 19,25 $ – 12253099 – ★★★

Coste delle Plaie 2014

PODERE CASTORANI

Italie, Abruzzes

CODE SAQ 11904355

22,00$

Quelques grammes de sucres résiduels, il est vrai, mais sans que l'équilibre de ce beau rosé en soit le moindrement perturbé. Sans non plus que soient remis en question les nombreux accords possibles avec la table. Par exemple, on dégustera avec ce rosé, en raison de son caractère salin, une soupe de poisson. La robe pâle à peine saumonée du vin brille de vivacité et d'éclat alors que les arômes, bien nets, s'ouvrent sur un profil de cerise et d'épices bien maintenu par une vivacité fine. Un rosé qui offre une belle opulence, un charme certain, un équilibre manifeste. Rosé de jour, rosé de soir, avant la table ou après le théâtre, bref, un rosé qui fera l'unanimité par l'élégance de son style. **CT** ★★★

CÉPAGE MONTEPULCIANO

Vous avez aimé ce vin ? Vous pourriez aimer aussi
Cuvée Royale 2014, Les Vignerons de Tavel, France, 21,25$ – 12228395 – ★★★

Vin Gris de Cigare 2014

BONNY DOON VINEYARD

États-Unis, Californie

CODE SAQ 10262979

21,95 $

Vous connaissez l'homme ? Car il y a un homme derrière la bouteille, un homme curieux de tout et surtout de l'Europe, où il puise souvent son inspiration. C'est bien pourquoi Randall Grahm préférera sans doute à son vin un rosé de Bandol ou de Provence, mais, au-delà de sa modestie, rendons tout de même à l'artiste le fait que cette cuvée s'améliore nettement avec les années. Faire un vin français aux États-Unis ? Il n'ira pas jusque-là, car il sait trouver sur place sa propre perception de ce qu'il veut accomplir. Et ce qu'il fait, ne serait-ce que sa cuvée Le Cigare Volant (39,75 $ – 10253386 – ★★★✯), est *top*. La robe *provençale* dissimule des arômes de fruits secs, une vinosité et un moelleux qui évitent les sucres sur une trame bien fournie, élégante même. De la longueur avec ça ! Le classique bagel-saumon fumé-crème brillera ici. **CT** ★★★

CÉPAGES GRENACHE, MOURVÈDRE, CINSAULT

Vous avez aimé ce vin ? Vous pourriez aimer aussi
Sangiovese 2014 Y Series, Yalumba Wines, Australie 17,00 $ – 11686175 – ★★★

D'AUTRES BONS CHOIX

Domaine de Gournier Rosé DOMAINE DE GOURNIER, France 12,95 $ – 00464602 – ★★½

Sangre de Toro Rosé 2014, MIGUEL TORRES, Espagne 13,85 $ – 11278112 – ★★

Santa Digna Reserva Rosé 2013, MIGUEL TORRES, Espagne 15,40 $ – 12226277 – ★★★

Château Bellevue La Forêt 2014, CHÂTEAU BELLEVUE LA FORÊT, France 15,95 $ – 00219840 – ★★★

Le Pive Gris, MAISON JEANJEAN, France 15,95 $ – 11372766 – ★★½

Rosé de St-Jacques 2014, DOMAINE ST-JACQUES, Québec 16,00 $ – 11427544 – ★★½

Cape bleue 2014, VINS JEAN-LUC COLOMBO, France 16,70 $ – 12219309 – ★★★

Vieux Château d'Astros 2014, CHÂTEAU D'ASTROS, France 17,25 $ – 10790843 – ★★★

Hoya de Cadenas Cava Brut, VICENTE GRANDÍA, Espagne 19,15 $ – 11676621 – ★★½

Le Rosé 2014, SÉLECTION CHARTIER, France 19,25 $ – 12253099 – ★★★

Côtes du Rhône Rosé 2012, E. GUIGAL, France 19,55 $ – 00918839 – ★★★

FRV100,Terres Dorées, JEAN-PAUL BRUN, France 22,40 $ – 12113993 – ★★★½

Whispering Angel 2014, CHÂTEAU D'ESCLANS, France 24,45 $ – 11416984 – ★★★½

Château Vignelaure 2014, VIGNELAURE, France 24,70 $ – 12374149 – ★★★½

Miraval Rosé 2014, PERRIN ET FILS, France 25,00 $ – 12296988 – ★★★½

Terre Rouge Rosé 2013, Vin Gris d'Amador, SIERRA FOOTHILLS, DOMAINE DE LA TERRE ROUGE, États-Unis 25,40 $ – 11629710 – ★★★

YLeccia Rosé 2013, YVES LECCIA, France 26,20 $ – 11900821 – ★★★½

Les Baux de Provence 2013, CHÂTEAU ROMANIN, France 28,50 $ – 11542041 – ★★★½

LES MOUSSEUX ET LES CHAMPAGNES

Plus qu'un mousseux, un champagne ! Le terme champagne est aussi connu que Rolex, Jaguar, Chanel N° 5, Lady Gaga, ou encore Whippet, quoique ce dernier relève d'une gourmandise plus locale qu'universelle.

D'ailleurs, Whippet et champagne ne se fréquentent pas, pas même dans les cocktails huppés des jardins du Ritz. À dire vrai, seul le cognac équivaut au champagne en ce qui a trait au bon goût et à la civilisation «à la française» dans le monde.

En plus d'être un grand vin issu de terroirs aussi prestigieux que porteurs d'une identité forte, le champagne est une marque de commerce. Pour le néophyte, toutefois, tout mousseux est aussi du champagne. L'usurpation de titre se porte toujours bien. Désolant.

Le vignoble le plus septentrional de France, avec un peu plus de 30 000 hectares de vignes en production, propose 302 crus pour une production qui avoisinait les 307 millions de bouteilles en 2014 (pour un chiffre d'affaires de 4,5 milliards d'euros !). Reims, Épernay, Aÿ, Vertus, Cramant ou encore Mesnil-sur-Auger vous disent quelque chose ? Ces communes champenoises embrassent tout autant de vignobles où chardonnay, pinot noir et pinot meunier, mais aussi arbanne et petit meslier, cépages « oubliés », ne représentent que 0,3 % de l'encépagement. L'impressionnante mosaïque de terroirs livrant des raisins souvent fort différents, combinée avec l'art sophistiqué de l'assemblage, est la pierre angulaire du grand champagne. Nulle part ailleurs dans le monde on ne peut revendiquer cette manière de faire.

J'ai fait la visite de quelques grandes maisons, des marques connues aux quatre coins du globe qui pèsent pour 69 % des opérations sur le terrain, totalisant à elles seules 90 % des exportations. Ma surprise ? L'utilisation, chez Roederer, de chevaux pour le labour d'un vignoble de 15 hectares, travaillé non seulement selon l'agriculture agrobiologique, mais également selon la biodynamie. Des grandes maisons creusent ainsi le sillon du bio. Heureux constat, donc.

Vous doutez de la qualité d'un champagne ou êtes simplement confondu par l'offre. Tranchez pour une marque connue, que ce soit Roederer, Veuve Clicquot,

Krug, Pol Roger, Ruinart, Henriot, Bollinger, Deutz, Paillard, Taittinger, Moët et Chandon, et j'en passe. Cela n'exclut pas la production de belle qualité de vignerons indépendants qui, bien que privés des sources d'approvisionnements des grandes maisons, offrent des «mousses» fortement personnalisées. D'ailleurs, vignerons et grandes maisons sont interdépendants les uns des autres.

Suggestions de petits producteurs recommandables? Franck Pascal Tolérance Brut (58,50$ – 11552839 – ★★★★½), Jacques Lassaigne Les Vignes de Montgueux Blanc de Blancs (56$ – 12061311 – ★★★★½), Pierre Gimonnet Premier Cru Cuis Blanc de Blancs (57,25$ – 11553209 – ★★★★½), Agrapart Terroirs Grand Cru Blanc de Blancs Extra Brut (59,25$ – 11552450 – ★★★★½), Fleury Extra-Brut 2002 (73,75$ – 11856138 – ★★★★), Franck Pascal Quinte-Essence Extra-Brut 2005 (84$ – 12052297 – ★★★★) et Egly-Ouriet Tradition Grand Cru Brut (89$ – 11538025 – ★★★★).

Ces grandes maisons ont un style qui s'inscrit dans un contexte précis de dégustation. On ne boit pas du Krug de façon distraite en assistant à un événement mondain où 3000 personnes se pressent de même qu'on ne boit pas une cuvée Dom Pérignon en faisant de la voile en mer Méditerranée en plein soleil de midi. Le champagne est, à mon sens, un grand vin de soir, de méditation comme de gastronomie. Dans cette édition, je présente des cuvées de prestige qui gagnent en popularité un peu partout dans le monde. À noter que la France demeure tout de même le premier marché du champagne en volume avec plus de 160 millions de cols vendus. Voici, parmi les grandes maisons que j'affectionne, les meilleures bulles.

Domaine de Lavoie Bulles d'Automne

DE LAVOIE

Canada, Québec

CODE SAQ 11738609

15,65 $

La Cortland est une pomme qui a du croquant, un contraste sucré-acide qui laisse place, lorsqu'elle est bien mûre, à une étonnante douceur. C'est bien ce qu'on retrouve ici dans ce cidre mousseux. De la pomme, de la pomme et de la pomme enveloppée, non pas par l'alcool (10,5 %), mais par une richesse sucrée qui en troublera certains et qui en réjouira d'autres. Je vous aurai prévenus ! Mais voilà, l'ensemble est très agréablement roulé. Surtout, la mise en bulles assure, tout au long du parcours en bouche, un tapis fruité et satiné de la plus belle espèce. C'est bien net, explosif même, avec dans le fruit une légère pointe de surmaturité qui n'altère toutefois pas sa lisibilité. Voilà un mousseux riche, crémeux, très gourmand, avec tout juste l'acidité qu'il faut pour relancer la finale. Quand et comment le boire ? Après une partie de badminton, sur la terrasse, servi entre six et huit degrés Celsius, nature ou allongé sur glace avec du soda et un quartier de pomme et, bien sûr, un cheddar de trois ans. **CT** ★★☆

POMME CORTLAND

Vous avez aimé ce cidre ? Vous pourriez aimer aussi
Cidrerie du Minot Crémant de pomme, Cidrerie du Minot, Québec 11,95 $ – 00245316 – ★★☆

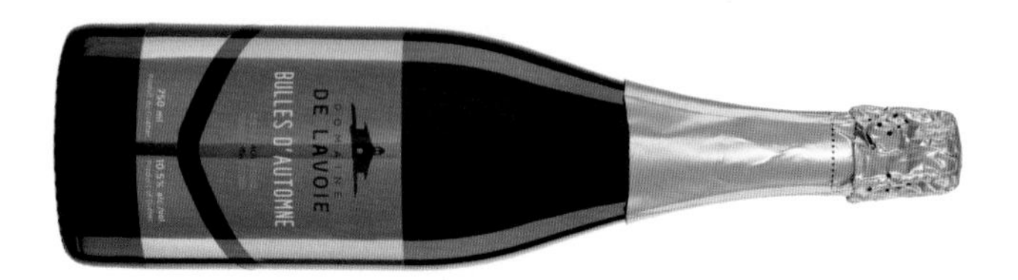

Antech Cuvée Expression Crémant de Limoux 2013

G. ET R. ANTECH DOMAINE DE FLASSIAN

France, Languedoc-Roussillon

CODE SAQ 10666084

20,10 $

Impliquée jusque dans les moindres détails dans la confection de ses cuvées, cette maison familiale poursuit son petit bonhomme de chemin sans tourner les coins ronds. Nous sommes dans le Sud, mais avec une impression de vins du Nord, à la fois frais, droits, parfaitement circonscrits. Est-ce l'altitude, l'effet du chenin blanc sur les autres cépages de la cuvée ou les terroirs ? Toujours est-il que ce mousseux n'a rien de banal. Il sent les épices et la poire à peine séchée, doublée d'une pointe de miel et de pomme, et il en a le goût. Côté fraîcheur, rien à redire. C'est vivant, avec un mordant que viennent tamponner les bulles, histoire de mieux relancer une finale aux échos à peine minéraux. Ce crémant est en fait très polyvalent, à l'aise sur toutes les saisons comme dans toutes les occasions, mais, surtout, il se dégage ici un lieu, une origine, une passion. Tout cela à petit prix. **CT** ★ ★ ★

CÉPAGES CHARDONNAY, CHENIN BLANC, MAUZAC

Vous avez aimé ce vin ? Vous pourriez aimer aussi
Laurens Clos Des Demoiselles Tête de Cuvée 2012, J. Laurens, France 22,25 $ - 10498973 - ★★★½

Freixenet Elyssia

FREIXENET

Espagne, Catalogne

CODE SAQ 11912494

20,25 $

L'affaire familiale (qui l'est d'ailleurs toujours aujourd'hui) démarre au XVIe siècle en Penedès avec la famille Ferrer. Ce ne sont pas qu'une petite centaine de bulles qui gonflent l'ego des propriétaires, mais bien des trilliards à la puissance 25. De quoi faire dégonfler quelques montgolfières champenoises. Très populaire au Québec, cette maison est d'une régularité sans faille quant à la qualité de ses produits. Quinze mois sur lattes lors d'une seconde fermentation sous verre et une dizaine de grammes de sucres résiduels permettent à cette cuvée de trouver un bel équilibre, avec du style et beaucoup de franchise. Le charme est au rendez-vous dans un registre floral alors que la bulle s'emballe en bouche avec ce qu'il faut de tenue sans toutefois devenir rustique. Un régal servi avec des tapas ou des moules au safran. **CT** ★ ★ ★

CÉPAGES CHARDONNAY, MACABEO, PARADELLA

Vous avez aimé ce vin ? Vous pourriez aimer aussi
Carpineto Farnito Chardonnay Brut, Casa Vinicola Carpineto, Italie 24,80 $ – 11341855 – ★★★

Juvé y Camps Reserva de la Familia 2010

JUVÉ Y CAMPS

Espagne, Catalogne

CODE SAQ 10654948

21,45 $

Ce superbe mousseux vendu souvent près de 20 euros en Europe est une excellente affaire sur notre marché. Nous ne sommes pas ici devant une bulle roturière mise en forme sous pression carbonique dans des logements vinaires de la grosseur d'un paquebot, non. Rien à voir non plus avec cette mode où les proseccos insipides et tristes comme la pluie (avec tout le respect que j'ai pour la pluie) inondent actuellement un marché de soiffards écervelés. Nous sommes ailleurs, parmi les meilleures bulles espagnoles convenablement élevées sur lattes durant 36 mois et offrant une réelle profondeur derrière le moelleux riche et profond des saveurs. Tiendra bien à table avec les entrées et même avec le fromage en fin de repas. **CT** ★ ★ ★

CÉPAGES MACABEO, PARELLADA, XARELLO

Vous avez aimé ce vin ? Vous pourriez aimer aussi
Gramona Brut Reserva 2009, Gramona, Espagne
25,26 $ – 12450703 – ★★★

Simonnet-Febvre Crémant de Bourgogne Brut

SIMONNET-FEBVRE

France, Bourgogne

CODE SAQ 11791830

22,80 $

Chacun sait que la finesse des bulles est étroitement liée au temps de prise de la mousse sur les levures (autolyse) lors de la deuxième fermentation en bouteille (champagnisation). Chacun sait aussi que ces mêmes bulles naissent de l'activité des levures qui se sucrent le bec en libérant, à la fin, alcool et gaz carbonique. La question qui nous tourmente ? Si les bulles n'ont pas de goût particulier, comment départager un champagne d'un cava espagnol, d'un vouvray ligérien ou d'un crémant de bourgogne ? Réponse : par le choix du ou des vins de base utilisés pour la prise de la mousse. En conclusion, avant d'être un mousseux, le mousseux est un vin tranquille soumis aux mêmes paramètres cépages-climats-terroirs que tous les autres vins. Cela dit, c'est toute la finesse du chardonnay bourguignon (lire chablisien ici) qui tend la toile de fond fruitée sur une approche minérale fine. Un crémant de charme, terriblement digeste à l'apéro ! **CT** ★ ★ ★

CÉPAGES CHARDONNAY, PINOT NOIR

Vous avez aimé ce vin ? Vous pourriez aimer aussi
Moingeon Prestige Brut 1995, Moingeon, France
19,55 $ – 00871277 – ★★★

Louis Bouillot Perle Rare 2011

LOUIS BOUILLOT
France, Bourgogne
CODE SAQ 00884379

22,95 $

Je rencontrais cette année à Nuits-Saint-Georges l'intarissable Georges Legrand, responsable de la maison Louis Bouillot, dont chacun sait, bien évidemment, qu'elle est administrée par la maison Boisset. Homme de beaucoup de mots dans un monde où les bulles sont encore plus abondantes. Savant sans en avoir l'air et connaissant son sujet sur le bout des doigts. La DV-10, par exemple, est la levure utilisée ici dans les nombreuses cuvées issues de l'apport en fruits d'une centaine de vignerons qui approvisionnent la maison. Lentes fermentations en cuves closes (3 semaines) et séjour en bouteille sur près de 30 mois pour affiner et créer une sensation satinée malgré des bulles qui savent aussi s'imposer. Il en résulte un crémant qui a du fond, un fruité impeccable, dosé juste ce qu'il faut (sept grammes/litre). À essayer aussi à l'apéro, le Louis Bouillot Perle d'Aurore (23,95 $ – 11232149 – ★★★). **CT** ★★★

CÉPAGES CHARDONNAY, PINOT NOIR, GAMAY

Vous avez aimé ce vin ? Vous pourriez aimer aussi
Vitteaut-Alberti Crémant de Bourgogne Blanc de Blancs Brut, Vitteaut Alberti, France 23,10 $ – 12100308 – ★★★½

Domaine Barmès-Buecher Crémant d'Alsace 2012

GENEVIÈVE ET FRANÇOIS BARMÈS

France, Alsace

CODE SAQ 10985851

23,65$

Est-il besoin de présenter la maison ? J'avoue que j'ai une affection particulière pour Geneviève, Sophie et Maxime qui, depuis la disparition subite de François, prolongent le souvenir de ses carnets de notes jusqu'au cœur même des cuvées. J'ai un préjugé favorable, vous êtes prévenu ! La dégustation à l'aveugle effectuée par une vingtaine de candidats me donne raison : ce crémant obtient une deuxième place, tout juste derrière l'exquis cava Raventos i Blanc L'Hereu Conca del Riu 2012 du Penedès espagnol (20,65$ – 12097946 – ★★★✫). Non seulement y a-t-il ici une proximité avec le vin qui brille sans artifice, sans aucun dosage à la clé, mais il y a un goût franc de fruits frais, de raisins sains portés par leurs différents terroirs, sous la houlette d'une agriculture biologique assumée. Un mousseux qui fait du bien, un mousseux «réparateur», nourrissant, complet. Nous sommes en réalité dans le jardin familial de nos hôtes, qui m'en font faire la visite grâce à leur crémant. Une intimité qui me touche, et j'espère que ce sera votre cas également... **CT** ★★★✫

CÉPAGES PINOT AUXERROIS, PINOT GRIS, CHARDONNAY

Vous avez aimé ce vin ? Vous pourriez aimer aussi
Blason de Bourgogne Brut Réserve, Les Caves de Marsigny, France 22,45$ – 10970131 – ★★★

Umberto Cesari Tenuta Lovia

UMBERTO CESARI

Italie, Vénétie

CODE SAQ 12385382

30,25$

Tendance, le prosecco? Indubitablement dans l'air du temps. Comme les chanteurs Mika, Taylor Swift ou Christine and the Queens dont les airs sont fredonnés par une belle jeunesse aussi dynamique que décomplexée. De mon temps, c'était les Doors, les Who et Hendrix, alors vous pensez bien que le prosecco... J'avoue que ce mousseux n'est pas en tête de liste de mes priorités, bien que je sois sensible à son charme immédiat, son côté oiseau-mouche frivole qui fait mouche, son ton badin et son attitude résolument festive. Surtout, il y en a de meilleurs que d'autres, moi qui ai été initié au Nino Franco Primo Franco Prosecco Superiore (24,85$ – 11903088 – ★★★) et autres Bortolomiol Prosecco di Valdobbiadene (22,05$ – 10654956 – ★★★☆). Je retiens du mousseux d'Umberto Cesari le beau nez de poire sous la crème pâtissière, la bouche tendre, crémeuse et parfumée filant vers une finale épanouie, à peine saline. Jolie bulle, pour un premier rendez-vous galant... **CT** ★★★

CÉPAGE GLERA

Vous avez aimé ce vin? Vous pourriez aimer aussi
Bisol Crede 2014, Bisol Desiderio et Figli Societa Agricole, Italie 20,85$ – 10839168 – ★★★

Roederer Estate Brut Anderson Valley

ROEDERER ESTATE

États-Unis, Californie

CODE SAQ 00294181

33,25 $

Cette belle mousse a-t-elle besoin de présentation ? Dégustée à l'aveugle avec des champagnes, dont les Montaudon Brut (36,50 $ – 12399821 – ★★★), Tribaut Schloesser Blanc de Chardonnay Brut (35,75 $ – 12398491 – ★★★), Roederer Estate L'Ermitage Brut 2005 (62,75 $ – 11682810 – ★★★) et autres Gardet Premier Cru Brut (37,25 $ – 12398600 – ★★★), et signée Roederer USA, elle a distancé d'une demi-coudée le peloton de tête, et cela bien qu'elle soit passablement plus dosée que ses collègues champenoises. Le pari d'un fruité mûr et opulent combiné à une vivacité d'agrumes et de pomme verte fonctionne une fois de plus à merveille, avec un tracé de bouche fin, tonique, filiforme et allongé qui fait le style de la maison. J'y perçois même une certaine profondeur, sans doute liée à l'ajout de vin de réserve. Bref, on ne comprend pas pourquoi cette cuvée peine encore et toujours à dénicher des adversaires pour croiser le fer avec elle. Pas mal à l'apéro ou avec quelques pétoncles grillés beurre blanc citron. **CT** ★★★½

CÉPAGES CHARDONNAY, PINOT NOIR

Vous avez aimé ce vin ? Vous pourriez aimer aussi
Delamotte Brut, Société AS, France 46,75 $ – 10839660 – ★★★)

Ferghettina Franciacorta Brut rosé 2010

FERGHETTINA

Italie, Lombardie

CODE SAQ 12040392

38,50 $

Ce beau mousseux rosé n'est disponible que dans les boutiques Signature et a cette sale habitude de disparaître lorsqu'il se pointe enfin sur les tablettes. Remercions surtout l'agence promotionnelle qui a permis, au fil des ans, de garnir une sélection des meilleurs vins d'Italie et, en particulier, l'appellation franciacorta, qui livre les meilleures bulles de la péninsule. Si la version en blanc, soit le Ferghettina Franciacorta Brut à 95 % de chardonnay (28,80 $ – 12396823 – ★★★✯) est taillée dans le même diamant brut, le rosé s'affiche en finesse avec un dosage très modéré (moins de 6 grammes de sucre au litre) derrière sa robe diaphane. Registre floral, mais surtout fruité (pensez à la fraise des bois), avec une texture aérée, presque saline, poussant le fruit toujours plus avant comme pour mieux inviter à poursuivre la dégustation. Servir en apéro ou avec une entrée de truite très légèrement fumée. **CT** ★★★✯

CÉPAGE PINOT NOIR

Vous avez aimé ce vin ? Vous pourriez aimer aussi
Bellavista Rosé 2009, Azienda Agricola Bellavista, Italie 68,25 $ – 10540051 – ★★★★

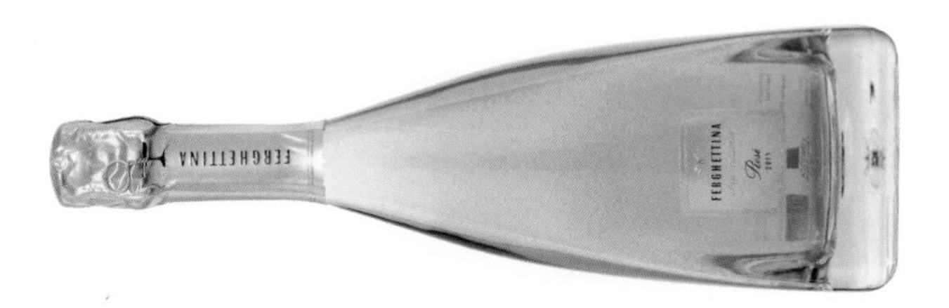

Champagne G. Gruet et Fils Blanc de Blancs

UNION VINICOLE DES COTEAUX DE BETHON

France, Champagne

CODE SAQ 12398642

36,25$

Le message a été entendu et la SAQ a ouvert une brèche en acceptant des champagnes vendus sous la barre des 40$. Voilà qui est positif. Ce que ces cuvées proposent est tout à fait adéquat. Certes, il n'y a pas la profondeur multipiste ni la subtilité de bulles des grands, mais il s'agit de champagnes bien faits, non dénaturés ni gommés par des dosages excessifs. À ce prix, j'en ai pour mon plaisir et bien sûr pour mon argent. Il y a d'ailleurs là, sous le nez, des arômes très purs, très nets de chardonnay bien à l'aise sur sa portée florale. Côté bouche, notons la délicatesse de la bulle nourrie et passablement fine et le bel éclat qui ne gagne toutefois pas en longueur sur la finale. Bref, tout y est propre et bien agencé, avec un élégant esprit « champagne » en arrière-fond. Aucune raison, donc, de s'en priver. Voilà dimanche tous les jours. Il est parfait, servi au brunch avec de petits sandwichs sans croûtes ! **CT** ★ ★ ★

CÉPAGE CHARDONNAY

Vous avez aimé ce vin ? Vous pourriez aimer aussi
Nicolas Feuillatte Brut Réserve, Le Centre Vinicole de la Champagne, France 47,25$ – 00578187 – ★★★)

Deutz Brut Classic

CHAMPAGNE DEUTZ

France, Champagne

CODE SAQ 10654770

57,25 $

Le chef de cave Michel Davesne évolue sur un nuage. Non pas qu'il soit du type tête en l'air, mais parce qu'il offre un champagne aérien, subtil, délicat, un style de champagne que j'aime, à la façon, par exemple, d'un chablis par son approche saline et minérale qui laisse la bouche propre et nette. Ce Brut Classic est l'archétype du genre, léger, brillant, persistant, à savourer à l'apéro ou durant le brunch du dimanche matin. Les plus ambitieux d'entre vous pousseront du côté de la superbe cuvée Amour de Deutz Blanc de Blancs 1999 et dégorgée en 2011 (185,00 $ – 10679432), qui cumule plus de 10 années sur lattes, le temps de peaufiner ce léger rancio qui allonge la finale. Bref, du frisson que ce Deutz Brut Classic, frisson fin, frais, pas farouche pour deux sous. **CT** ★ ★ ★ ✯

CÉPAGES PINOT NOIR, PINOT MEUNIER, CHARDONNAY

Vous avez aimé ce vin ? Vous pourriez aimer aussi
Henriot Blanc de Blancs Brut, Champagne Henriot, France 71,75 $ – 10796946 – ★★★★

Charles Heidsieck Brut Réserve

CHARLES HEIDSIECK
France, Champagne
CODE SAQ 11450533

58,50 $

Revisiter Heidsieck, que ce soit Charles ou Piper-Heidsieck Brut (57,75 $ – 00462432 – ★★★✫), revient à retrouver avec joie de vieux amis depuis longtemps évanouis dans la nature, ne serait-ce que parce qu'on a partagé le meilleur de sa jeunesse avec eux. Des potes, quoi ! Ce sont des champagnes que j'aime parce qu'ils suggèrent, chacun à leur façon, des nuances d'évolution subtiles et différentes. En plus de la magie des calcaires, les assemblages, au départ tendus comme des cordes de violon, contiennent déjà leur propre musicalité qui s'amplifiera au fil des ans. Avec Charles, on sait à quoi s'attendre. Il a de la personnalité, des saveurs franches, un dosage qui confère un surcroît de corps et de volume, une bulle abondante et énergique et une finale nette, comment dire… très champagne. Véritable vin de repas, particulièrement avec une volaille à la crème. **CT** ★★★✫

CÉPAGES PINOT NOIR, CHARDONNAY, PINOT MEUNIER

Vous avez aimé ce vin ? Vous pourriez aimer aussi
Pol Roger Brut, Pol Roger, France 61,25 $ – 00051953 – ★★★★

Louis Roederer Brut Premier

LOUIS ROEDERER

France, Champagne

CODE SAQ 00268771

66,75 $

Vous connaissez, pour l'avoir vu sinon bu, le fameux Cristal 2007 (295,00 $ – 00268755 – ★★★★✯) issu du vignoble éponyme de 50 hectares qui appartient à la maison. Un grand blanc structuré sans en avoir l'air, au fruité riche et soutenu traversé en son centre par une tension minérale qui le dynamise et le porte longuement. Il est remarquable d'ailleurs de constater que des vins plutôt acides et passablement neutres se transformeront, sous l'effet de la seconde fermentation, en champagne. D'un vin « grossier » va ensuite naître la lumière. Ce Brut Premier, 40 % de chardonnay, 40 % de pinot noir, le solde en pinot meunier, assure une cuvée portée par un total de 8 vendanges dont les expressions habillent le vin de façon admirable. Un champagne de référence, au profil tendu et bien nourri : un de mes préférés, toutes catégories. **MT** ★★★★

CÉPAGES CHARDONNAY, PINOT NOIR, PINOT MEUNIER

Vous avez aimé ce vin ? Vous pourriez aimer aussi
Devaux Collection La Cuvée Brut, Veuve A. Devaux, France 59,75 $ – 11551852 – ★★★✯

Henriot Brut

CHAMPAGNE HENRIOT

France, Champagne

CODE SAQ 10839635

72,00$

Si ce rosé a disputé la tête du palmarès à un rosé de chez Laurent-Perrier cette année, c'est bien parce qu'il revêt un intérêt particulier, ne serait-ce que du fait qu'il souligne la disparition, en avril dernier, de Joseph Henriot. Joseph Henriot aurait-il apprécié cette robe saumonée et brillante, voilée d'un train de bulles incessant? Aurait-il permis au rêve de l'accompagner sur ces nuances olfactives riches et finement grillées où la fraise des bois et les épices s'affichent avec une joie insolente? Se serait-il glissé dans la peau de ce fruité où la chair est savoureuse, tonique, mais aussi lascive et suggestive? Je pense que oui, même si l'homme n'était pas du genre à afficher en public ses émotions. Mais le style y est, économe et raffiné, de cette pâte qui fait des champagnes éternels... **CT** ★★★★★

CÉPAGES PINOT NOIR, CHARDONNAY

Vous avez aimé ce vin? Vous pourriez aimer aussi
Ayala Majeur, Champagne Alaya,
France 57,75$ – 11674529 – ★★★✯

Champagne Ruinart Brut

CHAMPAGNE RUINART

France, Champagne

CODE SAQ 10326004

78,75 $

Approvisionnements diversifiés en Premiers et Grands Crus, élevage et long séjour au cœur de crayères historiques, savoir-faire qui n'est plus à démontrer, Ruinart champagnise le vin sans égal. Il y a ici de la profondeur, de longues fins de bouche, secrètes, racées qui président aux événements spéciaux. Même ce champagne, avec ses 40 % de chardonnay et ses 57 % de pinot noir issu en partie d'achats de raisins exige de l'attention, car il a une vinosité et un je ne sais quoi de sérieux qui n'en font pas un champagne de piscine. Plus substantiel et nettement plus cher, le Dom Ruinart Brut 2004 (268 $ – 11744697) issu à 100 % de Grands Crus et d'un cépage chardonnay donne l'impression de siroter à l'aveugle un grand meursault gonflé à bloc sous l'effet de bulles fines et abondantes. **MT** ★ ★ ★ ★

CÉPAGES CHARDONNAY, PINOT NOIR, PINOT MEUNIER

Vous avez aimé ce vin ? Vous pourriez aimer aussi
Jacquesson Cuvée N° 736 Brut, Jacquesson et Fils, France 63,00 $ – 10758819 – ★★★★

Laurent-Perrier Cuvée Brut

LAURENT-PERRIER

France, Champagne

CODE SAQ 00158550

98,00 $

Je crois deviner que Bernard de Nonancourt est un homme pour qui les mots *élégance* et *finesse* font tout naturellement partie du vocabulaire. Des mots qu'on utilise souvent pour décrire le vin et qui sont de ce fait quelque peu édulcorés. Pas ici. Lorsque monsieur Bernard décida de créer le rosé maison dès 1968 à partir des meilleurs apports du nord et du sud de la montagne de Reims, il affichait déjà ses intentions de travailler avec élégance et finesse. Vous connaissez sûrement le flacon de ce champagne, mais ne l'approchez que rarement, sans doute une affaire de prix ou sans doute parce que Laurent-Perrier n'offre pas toute la visibilité commerciale tapageuse de certains de ses concurrents. Nous sommes ici dans une sphère privée, discrète, qui choisit ses adeptes pour leur goût sûr et leur indépendance d'esprit. Trois bouteilles dégustées cette année avec une magie qui opère chaque fois, avec un éclat, un fruité cristallin délicieusement suggestif que sait souligner avec précision l'extrême doigté des bulles. À redécouvrir ! **MT** ★★★★☆

CÉPAGE PINOT NOIR

Vous avez aimé ce vin ? Vous pourriez aimer aussi
Fleury Rosé De Saignée Brut, Fleury Pères et Fils, France 62,25 $ – 11010301 – ★★★★

Veuve Clicquot La Grande Dame 2004

VEUVE CLICQUOT PONSARDIN

France, Champagne

CODE SAQ 00354779

264,50$

Veuve Clicquot, c'est bien sûr une couleur – un jaune foncé dont la maison détient le brevet chromatique –, c'est aussi une atmosphère évoluant entre le festif et un caractère plus sobre et posé, une marginalité étudiée et un décorum non prétentieux. Le sympathique chef de cave, Dominique Demarville, et l'œnologue, Pierre Casenave, peuvent d'ailleurs compter sur l'approvisionnement fiable que garantissent les 286 hectares de vignoble, qui sont eux-mêmes morcelés en 340 parcelles et qui jouent tour à tour sur les pinots noirs de Verzy ou de Verzenay, les pinots meuniers de St-Thierry quand ce n'est pas avec les chardonnays de Cramant ou de Chouilly pour composer la musique Clicquot. Cette Grande Dame 2004 à la sève assagie propose richesse, volupté, profondeur, avec un corps et un équilibre parfaits qui rehausseront des vols-au-vent à la crème de morilles, pintade et figues, bien évidemment.
MT ★★★★

CÉPAGES PINOT NOIR, CHARDONNAY

Vous avez aimé ce vin ? Vous pourriez aimer aussi
Duval Leroy Clos des Bouveries Brut 2005, France 134,00$ – 12141097 – ★★★★

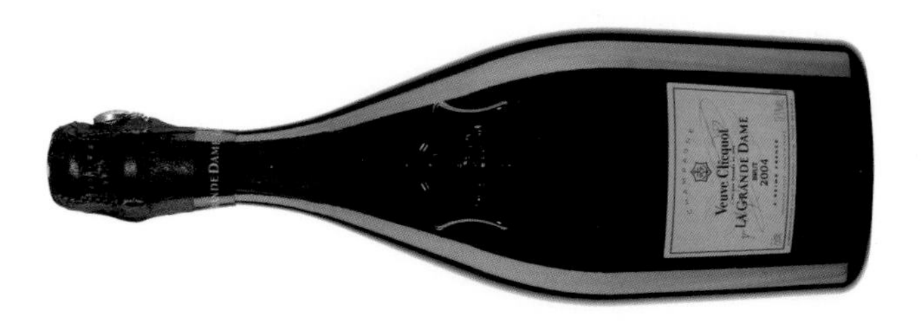

Krug Grande Cuvée Brut

KRUG

France, Champagne

CODE SAQ 00727453

283,25$

Krug : ces quatre lettres sont emblématiques de grande qualité et traduisent une volonté de s'élever au-dessus de la mêlée, avec une sensibilité liée aux tout petits détails qui, mis bout à bout, créent un très grand champagne. Si votre humble serviteur n'a pu déguster sur place – c'est bien dommage d'ailleurs – le rarissime Clos du Mesnil, il s'est régalé de cette Grande Cuvée qui constitue 80 % des stocks maison, navire amiral exceptionnel élaboré à partir de 121 vins répartis sur 12 millésimes en provenance d'une centaine de vignerons honorés d'approvisionner la maison, le tout sous l'œil, mais surtout sous le nez exercé du brillant chef de cave, Éric Lebel. Un champagne vineux qui chante la Champagne avec passion et caractère, amplitude et profondeur. Un grand vin de nuit, secret, suggestif. Le Krug millésimé 2003 (318,25$ — 11552370) vaut le détour si votre budget le permet : une grande expérience de vin ! Vous ne m'en voudrez pas de l'avoir de nouveau inclus dans ce guide ! **MT** ★★★★½

CÉPAGES PINOT NOIR, CHARDONNAY, PINOT MEUNIER

Vous avez aimé ce vin ? Vous pourriez aimer aussi
Champagne Joseph Perrier Cuvée Royale Brut 2002, Champagne Joseph Perrier, France
78,75$ - 10654796 - ★★★★

Dom Pérignon Brut 2005

MOËT ET CHANDON

France, Champagne

CODE SAQ 00280461

247,00 $

J'allais y venir, pensez donc ! Dom Pérignon, c'est surtout l'œuvre du grand impresario Richard Geoffroy secondé par le « metteur en valeur » Frédéric Panaiotis, chef de cave, deux hommes qui prennent l'affaire très, très au sérieux. Nous sommes bien sûr dans l'exception, façon Krug, mais en plus audacieux, en plus *work in progress*, comme si ce champagne était toujours à reconstruire. En fait, Geoffroy essaie de « reconstruire » Dom Pérignon chaque année, tentant sans cesse de cerner le cœur du vin, un concentré d'énergie brute où vibre une tension minérale, l'habillant par la suite sans en perdre la coupe, le style, le mouvement. Un travail de titan, une incessante quête du Graal que récompensent un millier de petites actions sur le terrain qui vont de la provenance des raisins, de leurs vinification, de leurs assemblage à la mise en bouteille. Bref, la maison Moët et Chandon dont la production oscille autour de 30 millions de cols annuellement se permet cette « folie de génie », un secret d'État bien gardé. Je fais enquête et vous tiens au courant ! **MT** ★★★★

CÉPAGES CHARDONNAY, PINOT NOIR, PINOT MEUNIER

Vous avez aimé ce vin ? Vous pourriez aimer aussi
Pommery Cuvée Louise Champagne 2002, Champagne Pommery, France 193,50 $ les deux bouteilles de 750 ml – 12470940 – ★★★★

D'AUTRES BONS CHOIX... DE MOUSSEUX

Segura Viudas Cava Reserva Brut, SEGURA VIUDAS, Espagne **15,25$** – 00158493 – ★★☆

Château Montcontour Vouvray 2012, CHÂTEAU MONTCONTOUR, France **18,10$** – 00713974 – ★★★

Gratien et Meyer Crémant de Loire Flamme Brut, GRATIEN ET MEYER, France **19,40$** – 11177856 – ★★★

Bernard-Massard, Cuvée de l'Écusson Brut, CAVES BERNARD-MASSARD, Luxembourg **19,75$** – 00095158 – ★★☆

Domaine Moutard Diligent Val de Mer, DOMAINE MOUTARD DILIGENT, France **22,25$** – 12015541 – ★★★

Domaine Vincent Carême Vouvray brut 2013, VINCENT CARÊME, France **24,20$** – 11633591 – ★★★☆

Bailly-Lapierre Crémant de Bourgogne Brut, CAVES BAILLY-LAPIERRE, France **24,95$** – 11565015 – ★★★

Domaine de la Taille aux Loups Triple Zéro, JACKY BLOT, France **25,70$** – 12025301 – ★★★☆

Gloria Ferrer Sonoma Brut, GLORIA FERRER VINEYARDS, États-Unis **26,00$** – 10839184 – ★★★

Domaine Langlois-Château Quadrille 2007, LANGLOIS-CHÂTEAU, France **28,85$** – 11791670 – ★★★☆

Recaredo Gran Reserva Brut Nature 2008, CAVA RECAREDO-MATA CASANOVAS, Espagne **33,50$** – 12016288 – ★★★☆

ET DE CHAMPAGNES

Chanoine Frères Grande Réserve Brut, CHANOINE FRÈRES, **France 42,25$** – 11766571 – ★★★

Pascal Doquet Horizon Blanc de Blancs, CHAMPAGNE PASCAL DOQUET, **France 47,00$** – 11528046 – ★★★✬

Vignes de Montgueux Blanc de Blancs, EMMANUEL LAISSAIGNE, **France 56,00$** – 12061311 – ★★★✬

Pascal Doquet Premier Cru Brut, CHAMPAGNE PASCAL DOQUET, **France, Champagne 61,00$** – 12024296 – ★★★✬

Jacques Lassaigne Les Fleury Extra-Brut 2002, FLEURY PÈRES ET FILS, **France 73,75$** – 11856138 – ★★★★

Billecart-Salmon Brut, BILLECART-SALMON, **France 99,00$** – 10812942 – ★★★★

Taittinger Comtes de Champagne Blanc de Blancs Brut 2002, CHAMPAGNE TAITTINGER, **France 150,50$** – 00867606 – ★★★★✬

LES APÉROS, MOELLEUX ET AUTRES PORTOS

L'heure de l'apéro… Du latin *aperire*, ouvrir, mais aussi *aperire* pour « après vient le rire ». À moins d'avoir l'apéro triste, c'est généralement ce qui se produit.

Que ce soit avec le champagne, le rosé, le xérès, le pineau des Charentes, le guignolet, le pastis, le vermouth, le porto blanc, le martini ou encore une bonne bière froide, l'apéritif est un véritable complot pour délier les langues et lancer les sucs gastriques. Une potion aussi magique qu'originale, qui fournit au larron l'occasion de, justement, multiplier les occasions de mieux faire le larron. Sans façon, en toute convivialité, mais pas avec n'importe quoi !

Couleurs, textures, arômes et saveurs sont autant d'œillades pour offrir à quiconque une batterie d'apéros des plus diversifiés. Qu'ils soient à base de raisins fermentés (vins blancs, mousseux, rosés), issus de la macération du fruit dans l'alcool (guignolet, sangria à base d'agrumes, etc.), de plantes ou d'épices variées (vermouth, pastis, etc.) ; qu'ils soient vinés comme le porto, le maury ou le banyuls, cuits comme le grand vin de Madère, passerillés comme le *vino santo* ou encore assemblés en mistelle comme le Pineau des Charentes ou le Floc de Gascogne, les apéritifs sont de toutes les circonstances, aux quatre coins du globe. Mais il en est un qui demeure le classique d'entre les classiques.Le rituel est toujours le même et les puristes en font bon usage : un volume de pastis pour très exactement cinq volumes d'eau bien fraîche. Pas même le reflet d'un glaçon. La famille des anisés du pourtour méditerranéen que sont les Berger, Ricard, Combier, Casanis, Pastis 51, Duval, Bardouin et autres araks libanais et ouzos grecs s'y emploient avec une conviction et un machiavélisme qui captivent chacun à tout coup.

… ET L'HEURE DIGESTIVE. Plusieurs vins entrent dans la catégorie des vendanges dites « tardives ». Le plus connu est sans doute le sauternes, qui allie équilibre et élégance avec une rare régularité. Il y a aussi le jurançon, les blancs d'Alsace et de Loire, l'aszu hongrois, ou encore l'incomparable riesling allemand, capable d'atteindre des sommets de magnificence avec ses eiswein et autres trockenbeerenauslesen. Les raisins laissés sur pied de vigne, en fin de parcours végétatif, vont graduellement perdre en eau ce qu'ils vont gagner en sucre avec un léger fléchissement de l'acidité. C'est la dessiccation. Selon les cas, ils pourront même être affectés de pourriture noble (*Botrytis Cinerea*).

LE PASSERILLAGE. Il faut remonter à l'Antiquité pour trouver des traces des premiers nectars passerillés. Les raisins ratatinés sur souche, récoltés et mis à sécher sur un lit de paille, ou suspendus sous les poutres de greniers bien ventilés, constituent l'essentiel de la technique du passerillage. Entrent dans cette catégorie (de passito) le *vino santo* toscan, le picolit du frioul et le Verduzzo (ramandolo) des Colli orientali italiennes, le Recioto blanc (torcolato) de Vénétie, l'Albana di Romagna ou le Sforzato de la Valteline. Il ne faudrait pas non plus oublier le vin de paille d'Hermitage ou du Jura, les Xérès, Montilla et Malaga d'Espagne, le Tokay de Hongrie ou encore le grandiose Constantia d'Afrique du Sud.

LE VIN DE LIQUEUR. Le Madère est sans conteste le vin de liqueur non seulement le plus célèbre (et, avec le grand Xérès, le plus dénigré), mais aussi celui dont l'espérance de vie semble illimitée. Les différentes techniques d'élaboration ne sont pas étrangères à sa longévité et lui apportent surtout ce caractère typique de rancio noble. *Grosso modo*, il s'agit d'un vin dont on aurait porté le moût à des températures avoisinant les 45 °C. Les cuvées s'élaborent à partir des cépages blancs sercial, verdelho, boal et malvasia à l'intérieur d'une brochette de qualité allant du vin en vrac (entre 30% et 40% de la production) au Vintage (20 ans de fût minimum plus deux autres années de bouteille) en passant par le Finest (3 ans d'âge), le Reserve (5 ans d'âge), le Special Reserve (le plus jeune des vins a environ 10 ans d'âge) et l'Extra Reserve (15 ans d'âge). Aussi considérés comme vins de liqueur : le Pineau des Charentes (version cognaçaise) et le Macvin (version jurassienne) pour lequel le jus de raisin frais est naturellement muté à l'eau-de-vie locale.

Damm Inedit

DAMM

Espagne

CODE SAQ 11276336

8,40$

Il faudrait vivre sur une planète proche de Pluton pour ignorer l'engouement spectaculaire des dernières années pour les bières personnalisées, bières de microbrasseries, au Québec comme à l'étranger. Une récente visite dans le Vermont, du côté de Waterbury (faites un saut au resto-microbrasserie Prohibition Pig, par exemple) confirme que nos voisins étasuniens en bavent aussi pour la cervoise ! Pour ma part, pour clore une journée soutenue de dégustation, rien ne vaut une bière froide, comme cette blonde concoctée par le fameux restaurateur catalan Ferran Adrià (l'ancien chef du restaurant El Bulli) et la brasserie locale Damm fondée en 1876. Une bière pâle et délicate, légère, mais drôlement caressante au palais, un genre de velours malté, une bière finement aromatique, peu acide ni amère, mais harmonieuse, féminine même. Une apéritive savoureuse qui ne manque pas d'élégance. **CT** ★★★☆

MALT, ORGE, BLÉ, HOUBLON, CORIANDRE, ZESTE D'ORANGE, RÉGLISSE, LEVURE, EAU

Vous avez aimé cette bière ? Vous pourriez aimer aussi
Dubuisson Cuvée des Trolls Triple, Brasserie Dubuisson Frères, Belgique 9,05$ – 11944402 – ★★★

Gunderloch Fritz's Riesling 2013

WEINGUT GUNDERLOCH

Allemagne, Hesse Rhénane

CODE SAQ 11389015

15,65$

Du génie en bouteille, à tous points de vue. Mais voilà, personne ne pense à servir un riesling allemand en apéro. C'est pourtant léger côté alcool et diablement dynamique pour faire rejaillir une conversation qui s'enlise. La maison n'y est pas allée par quatre chemins: une étiquette décomplexée d'une grande clarté, un rapport qualité-prix rarement proposé sur le marché et une combinaison heureuse où le fruité et l'acidité taquinent très habilement une pointe de sucre résiduel qui, lui, rit aux larmes. Ça nous émoustille et nous fait zozoter, comme si nous avions un cheveu sur la langue, mais voilà que ça bondit aussi, avec verve et sincérité. Il y a là un contraste, une simplicité à faire pleurer. Sans oublier les nuances florales et citronnées sur une bouche bien droite qui affiche à la fois du mordant et de la tendresse pour un fruité qui file et qui file… Servir très frais à l'apéro, avec des acras de morue, par exemple.
CT ★★½

CÉPAGE RIESLING

Vous avez aimé ce vin? Vous pourriez aimer aussi
Selbach-Oster Riesling Qba Mosel-Saar-Ruwer 2013, J et H Selbach, Allemagne 17,30$ – 11034741 – ★★★

Ferreira

SOGRAPE VINHOS
Portugal, Porto
CODE SAQ 00571604

15,75$

À ce prix, c'est évidemment une affaire. Mais ça, je vous l'ai déjà dit, alors buvons. Buvons quoi ? L'un des apéritifs les plus exquis (n'oublions toutefois pas son collègue espagnol d'Andalousie), des plus versatiles aussi. Nous pénétrons, avec ce porto blanc, dans l'école traditionnelle du porto, de ces portos vieillis, assemblés et profonds de caractère, «ranciotant» au passage, avec leurs notes de noix, de figue, d'épices qui se prolongent longuement sur une finale légèrement amère. Finale qui donne d'ailleurs l'impression de gommer les sucres et laisse la bouche nette. Un style, pas très moderne il faut l'admettre, mais en revanche généreux, savoureux, de forte personnalité. S'il est sensationnel à l'apéro avec une poignée de noix ou d'olives vertes, il peut passer à table avec les acras de morue, les sardines à l'huile ou les fromages persillés et leur compote de figue. Vous pouvez aussi l'allonger avec de la glace et du soda, en l'accompagnant d'une tranche d'orange. ★★★

CÉPAGES MALVOISIE, CODEGA, RABIGATO

Vous avez aimé ce vin ? Vous pourriez aimer aussi
Fonseca Guimaraens, Fonseca Guimaraens Vinhos, Portugal 15,60$ – 00276816 – ★★☆

Domaine du Tariquet Gros Manseng 2014

CHÂTEAU DU TARIQUET
France, Sud-Ouest
CODE SAQ 11462075

18,00$

Yves Grassa a mené rondement sa barque et l'a dirigée à bon port avant de laisser ses fils prendre le gouvernail. Il peut être fier du travail accompli – car voilà un bourreau de travail, à l'image d'Alain Brumont du côté de Madiran, réinventant à lui seul (ou presque) ces côtes-de-gascogne où les blancs secs, tendres et vifs se sont fait une place au soleil. Pas de chipotage ni d'approximations dans ce gros manseng où subsistent quelques sucres résiduels, histoire de créer des accords inusités avec la table. Le fruité y est net et précis, avec un goût d'agrumes et de pomme fraîche, un mouvement de balancier en bouche où acidité et sucres, relevés d'une pointe d'amertume, croisent le fer sans toutefois froisser leur amour-propre. Bref, vin de soif, d'apéro ou de toutes autres occasions, idéal avec un ceviche de thon, des moules au cari ou un crabe des neiges. **CT** ★ ★ ★

CÉPAGES CHARDONNAY, GROS MANSENG

Vous avez aimé ce vin ? Vous pourriez aimer aussi
Domaine du Tariquet Côté 2014, Château du Tariquet, France 18,95$ – 00561316 – ★ ★ ★

Fernet-Branca

FRATELLI BRANCA DISTILLERIE

Italie

CODE SAQ 00220145

24,70$ les 500 ml

Redoutable ! Mais surtout déstabilisant au plus haut point. Comme si on pensait avoir atteint les limites de l'amertume, mais qu'on prenait conscience en chemin qu'il nous reste encore du kilométrage à faire pour en vivre l'expérience ultime. Un défi que relèvent haut la main mes collègues journalistes de la presse écrite mondiale, qui, pour clôturer une journée intensive de dégustation de vin, avalent d'un trait un verre ou deux de cet élixir du diable pour remettre les compteurs à zéro. L'effet décape. L'effet fait mouche. À tout coup. Déjà la bouteille donne l'impression d'une boisson d'apothicaire, alors que son contenu, lui, hésite entre le médicament haut de gamme et un nectar si intrigant qu'il loge aux portes des paradis artificiels. Robe brune chaude, parfums complexes, puissants, intenses et profonds où dominent poivre et artichaut, finale longuement amère à peine appuyée de douceur. Servir frais, sans glaçons, avant mais surtout après le repas. ★★★★

DISTILLAT DE 27 HERBES ET ÉPICES

Vous avez aimé ce vin ? Vous pourriez aimer aussi
Poli Vaca Mora Amaro, Poli Distillerie, Italie
35,00$ – 10349898 – ★★★✯

J. R. Brillet, Pineau des Charentes Prestige

J. R. BRILLET

France, Poitou-Charentes

CODE SAQ 00733162

26,80 $

J'ai toujours été amateur d'un bon Pineau des Charentes. Accointances particulières avec le beau cognac qui lui confère toute son ossature et lui fournit le carburant nécessaire à sa dynamique ? À coup sûr. Car, inutile de le nier, il faut du bon cognac pour faire du bon pineau. Du cognac bien né, s'entend. L'affaire familiale démarrée au 17e siècle remonte à la 10e génération. D'une cinquantaine d'hectares en Grande et en Petite Champagne exclusivement, elle s'appuie sur une source de cognacs plus que bien nés pour ennoblir ce Pineau Prestige mesuré quant à la douceur, velouté quant à la texture, moins salin en quelque sorte que les pineaux provenant des vignobles en bordure de mer. « Classieux », aurait dit Gainsbourg qui aurait lui-même ajouté trois gouttes de gin pour l'éclaircir et amadouer sa sucrosité. Essayez, vous verrez. Un vieux truc de mixologue qui marche ! ★★★½

CÉPAGE UGNI BLANC

Vous avez aimé ce vin ? Vous pourriez aimer aussi
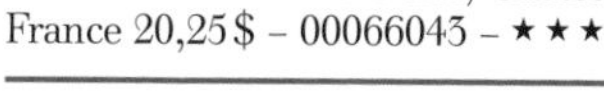
Château de Beaulon 5 ans, Château de Beaulon, France 20,25 $ – 00066043 – ★★★

Domaine Cauhapé Sève d'Automne Jurançon Sec 2013

DOMAINE CAUHAPÉ

France, Sud-Ouest

CODE SAQ 10257504

29,05 $

Il y a un petit quelque chose qui donne le frisson ici, à moins que ce ne soit l'automne lui-même qui crée le contexte et l'ambiance. Il y a surtout le gros et le petit manseng dont on a laissé en cours de fermentation quelques sucres résiduels pour accompagner l'acidité naturelle de ces cépages tout en réveillant les sucs gastriques qui feront leur petite révolution à table, avec un foie gras au torchon accompagné d'une confiture de coings, évidemment. La trame fruitée est riche sans en avoir l'air, rapidement remise sur les rails de l'équilibre où se jouent avec brio l'acidité, le sucre et l'amertume. Un vin blanc «sec-tendre» qui a le mérite d'avoir de la personnalité (comme son auteur Henri Ramonteu) avec le profil unique et singulier des vins de l'appellation. Toujours impeccable en somme. **CT** ★★★✫

CÉPAGES GROS MANSENG, PETIT MANSENG

Vous avez aimé ce vin ? Vous pourriez aimer aussi
Château d'Aydie Pacherenc du Vic-Bilh 2010, Vignobles Laplace, France 19,10 $ les 500 ml – 00857193 – ★★★✫

Versinthe

LIQUORISTERIE DE PROVENCE

France

CODE SAQ 00598649

38,25 $ les 700 ml

Rappelez-vous votre jeunesse alors que le marchand de bonbons du coin offrait des «boules noires» et autres petites pipes modelées à la réglisse noire à des prix plus que dérisoires. Belle époque qui savait nous faire pénétrer dans l'univers intense des produits au parfum de réglisse et où l'amertume côtoyait le sucre sur une longueur en bouche aussi tenace qu'éternelle. Des spécialistes ont résumé, de façon nettement plus élaborée, ce goût unique avec, ici, plus de 20 plantes macérées dans le plus fin des alcools pour en tirer la substantifique essence. Plantes amères, anisées, balsamiques et menthes poivrées fusionnent ici dans un moelleux où la douceur côtoie la chaleur envoûtante de l'alcool (45% alc./vol.). Légers reflets verts, parfums complexes (gentiane, orgeat, bonbon à l'orange, anis à la violette ou anis étoilé, etc.), lisses et frais s'ouvrent sur une finale en queue de paon. Sur glaçons, très frais ou en cocktail (avec tequila et allongé de mousseux, par exemple). ★★★☆

DISTILLAT DE 20 PLANTES

Vous avez aimé ce vin ? Vous pourriez aimer aussi
Distilleries et Domaines de Provence Absente 55, Distilleries et domaines de Provence, France
52,00 $ - 00568576 - ★★★☆

St-Germain

ST-GERMAIN

France

CODE SAQ 11918925

46,25 $

La folie, oui ! Il est sur toutes les lèvres et de tous les cocktails, ce St-Germain qui connaît, depuis 2007, des ventes record au Canada. Si je ne suis pas personnellement amateur de liqueurs, j'avoue que l'originalité de la proposition me séduit ici. À la base, le sureau, plante dont on tire ici une fragrance et une saveur des plus fidèles et des plus éclatantes, à la fois florales et délicatement amères, édulcorées avec ce qu'il faut de sucre pour demeurer vivaces sans alourdir le moindrement le palais. Ça marche avec des glaçons, simplement, mais cette liqueur qui titre 20 % d'alcool par volume rebondit avec un double salto arrière lorsqu'elle est mariée avec un gin, une vodka ou encore un mousseux. Des exemples ? Dans un grand verre, sur glace, versez 1,5 once de gin allongé de soda tonique. Ou encore, très rafraîchissant : 4 onces de mousseux pour 2 onces de St-Germain, le tout complété de soda sur glaçons. Top ! ★★★✯

EAU-DE-VIE DE FRUITS, SUCRE, SUREAU, CANNE À SUCRE

Vous avez aimé ce vin ? Vous pourriez aimer aussi
G. E. Massenez Crème de Citron Vert et Gingembre, GE Massenez, France 25,90 $ les 700 ml – 11542315 – ★★★✯

Bodegas Tradicion Xeres Fino 12 ans

BODEGAS TRADICION

Espagne

CODE SAQ 12470181

57,00$

Le prix paraîtra étrange pour un vin qui (1) n'est pas du tout populaire parce que très peu connu, (2) est populaire auprès d'amateurs, lesquels rechignent à l'idée de payer une telle somme pour un vin de xérès et (3) a toujours été champion toutes catégories du rapport qualité-plaisir-prix-authenticité, et (4) dans ce cas précis, donne l'impression au consommateur qu'on se fout de sa gueule. Vrai que les vins d'Andalousie ont toujours été champions des meilleurs vins les moins connus et les moins chers. Seuls les Madères peuvent aussi prétendre au titre. Cela dit, il a été tiré 3000 bouteilles de ce fino dont la moyenne d'âge des vins élevés sous voile (lire, sous le voile de levures qui protège le vin légèrement muté à 15% d'alcool par volume en fûts américains non ouillés), vin sec, aromatique et profond, au moelleux-amer contrasté, d'une longueur prodigieuse. Servir frais, mais non froid, avec des olives, des anchois, etc. **CT** ★★★★

CÉPAGE PALOMINO

Vous avez aimé ce vin? Vous pourriez aimer aussi
Lustau Puerto Fino Solera Reserva, Emilio Lustau, Espagne 19,90$ – 11568347 – ★★★

Offley Late Bottled Vintage 2010

SOGRAPE VINHOS

Portugal, Porto

CODE SAQ 00483024

19,95 $

Je ne le dirai jamais assez : ce porto est, à moins de 20,00 $, une affaire pour laquelle le plus radin des radins que je connaisse avouera avoir fait une bonne affaire ! Je suis chaque fois tourné et retourné par le fait qu'un vin muté de ce type, si habilement mis en perspective et qui parle fort à la fois sur le plan des cépages comme sur celui de ses nobles origines, soit encore et toujours vendu pour la moitié d'une bouchée de pain. J'insiste. Ça n'a peut-être rien à voir, mais j'ai l'impression que pour le même prix, j'en ai nettement plus pour mon argent avec ce porto qu'avec un St-Francis Red Splash 2011 (19,95 $ - 12484516) ou autre Square Red Blend 2012 (19,95 $ - 12550608) de Californie. Le vin ? Ce 2010 m'a semblé moins chargé que le 2009, un peu plus étoffé côté tanins, plus tendu même, avec toujours un moelleux vivace qui sait ne pas trop se sucrer le bec au passage. Encore une fois, fort recommandable ! **MT** ★★★

CÉPAGES TOURIGA NACIONAL, TOURIGA FRANCESA, TINTA RORIZ

Vous avez aimé ce vin ? Vous pourriez aimer aussi
Graham's Late Bottled Vintage 2010, Symington Family Estates Vinhos, Portugal 19,95 $ – 00191239 – ★★★

Taylor Fladgate Late Bottled Vintage 2010

QUINTA AND VINEYARD BOTTLERS-VINHOS

Portugal, Porto

CODE SAQ 00046946

21,75$

Tout juste quatre années en fût et hop ! en bouteille. D'où cette bienheureuse impression de se frotter à un minivintage, avec sa tronche bien colorée et son goût très prégnant de bleuet du Lac-Saint-Jean. Toujours cette clarté, cette luminosité qui fait le style de cette maison anglaise jusqu'au bout des doigts, ce fruité impeccablement circonscrit qui évoque à s'y méprendre cette pâte de fruits chez le confiseur, et qui est doté d'une épaisseur et d'un goût dense. Nous ne sommes pas en présence d'un LBV traditionnel, mais plutôt d'un porto à boire non seulement pour sa simplicité mais pour la gourmandise de son fruité, cela n'excluant nullement une rigueur adoptée dès le premier nez et se prolongeant jusque dans la finale en bouche. Un classique à savourer à l'apéro, bien sûr, mais que je tenterais aussi avec un magret de canard aux cerises, pourquoi pas ? **MT** ★★★

CÉPAGES TOURIGA NACIONAL, TOURIGA FRANCESA, TINTA RORIZ

Vous avez aimé ce vin ? Vous pourriez aimer aussi
Poças Late Bottled Vintage 2008, Manoel D. Poças Junior Vinhos, Portugal 24,05$ - 00603480 - ★★★✫

La Tour Vieille Rimage 2013

DOMAINE DE LA TOUR VIEILLE
France, Languedoc-Roussillon
CODE SAQ 00884908

24,85$ les 500 ml

Il y a, dans ce jeune vin muté – que certains appelleront «vin de dessert» ou «vin qui dessert bien le dessert au chocolat» –, une fougue de jeunesse que des tanins adolescents érigent encore à rebrousse-poil. Toutefois, il est gentil, l'adolescent, un brin naïf, certes, mais désarmant de bonne volonté. Plus «aventurier» qu'un Maury, si je puis dire, l'*alter ego* Banyuls en est encore à tempérer l'effet terroir, ici fortement minéral et fumé, par sa trame fruitée qui ne demande qu'à se mailler finement à l'ensemble. Pour le moment, encore à se fondre, donc, mais porteur d'un avenir qui devrait défier un bon late bottled vintage traditionnel du Douro, en plus détaillé, en plus complexe. Le fruité évoquant la cerise noire est bien net, la bouche est structurée, et les tanins mûrs sont très frais. La finale demeure consistante, de bonne longueur. **MT** ★★★½

CÉPAGE GRENACHE NOIR, CARIGNAN

Vous avez aimé ce vin? Vous pourriez aimer aussi
Domaine de Valcros Hors d'âge, Domaine de Valcros, France 15$ le 500 ml – 00855056 – ★★★

Domaine La Tour Vieille Banyuls 2013

DOMAINE DE LA TOUR VIEILLE

France, Languedoc-Roussillon

CODE SAQ 11544222

25,45$ les 500 ml

On le place dans les apéros ou les vins de dessert, ce blanc doux? Entre une paille au fromage ou une tarte tatin? À cheval entre les deux, tant la sucrosité n'altère en rien l'équilibre de l'ensemble. Le domaine de la Tour Vieille naît en 1982, fusion de deux vignobles, mais surtout de deux personnes, Christine Campadieu (de Banyuls) et Vincent Cantié (de Collioure), qui s'entourent par la suite de Jean, Michel, Véronique et Isabelle. Petite équipe enracinée dans sa passion comme le sont les carignans, mourvèdres, roussanes et autres vermentinos dans leurs magnifiques terroirs. Des gens que l'agence promotionnelle québécoise Rézin ne pouvait évidemment pas ignorer, car ils s'inscrivent dans cette démarche de vins sains, vrais, humains et authentiques. Ce blanc doux respire bon la poire et les épices (de 12 à 18 mois de fût ici), avec une sève vivace, mais enrobante, porteuse et longue en finale. Du bonbon pour adultes. **MT** ★★★✫

CÉPAGES GRENACHE BLANC, GRENACHE GRIS

Vous avez aimé ce vin? Vous pourriez aimer aussi
Causse Marines Grain De Folie 2013, Patrice Lescarret, France 21,35$ les 500 ml - 00866236 - ★★★

Warre's Otima Tawny 10 ans

SYMINGTON FAMILY ESTATES VINHOS

Portugal, Porto

CODE SAQ 11869457

25,95$ les 500 ml

J'ai la nette conviction que ce tawny a été élaboré avec un plaisir non dissimulé. Non pas qu'il ne soit pas sérieux, car nous avons là du vin et du bon, mais parce que l'équipe chez Symington tient à rajeunir l'image selon laquelle les portos de type tawny ne seraient que des tisanes édulcorées pour mononcles assoupis. Rajeunir, mais sans dénaturer. Serait-ce dénaturer le produit que de le proposer sous forme d'une multitude de cocktails ? Avec de la menthe, du jus de pamplemousse, du soda, etc. Si on tient compte du fait qu'un bon cocktail se travaille avec de *bons* ingrédients, alors la réponse est non. Cet Otima est franchement savoureux. Surtout, il a de la vigueur, du coffre et une insistante pointe de rancio fin, derrière son fruité de figue, qui ajoute à sa profondeur et l'allonge sur sa finale saline. Un tawny sexy, un tawny de nuit. Difficile de résister. ★★★✫

CÉPAGES TOURIGA NACIONAL, TOURIGA FRANCESA, TINTA RORIZ

Vous avez aimé ce vin ? Vous pourriez aimer aussi
Cabral Tawny 10 ans, Vallegre Vinhos do Porto, Portugal 28,55$ - 10270741 - ★★★

Domaine Leduc-Piedimonte 2008

DOMAINE LEDUC-PIEDIMONTE
Canada, Québec
CODE SAQ 10472482

26,80$ les 375 ml

Avec le sirop d'érable et Gilles Vigneault, la pomme est sans conteste notre trésor national. Tous trois chantent ce pays de froidure qui imprime une sève unique aux gens comme aux produits locaux. Il y a bien sûr le cidre de glace, mais je doute qu'il parvienne un jour à cette renommée qu'ont acquise les collègues allemands avec le eiswein. Cela dit, notons que non seulement les fruits de ce liquoreux cidre de glace sont adaptés à leur environnement nordique, mais qu'ils se nuancent sans doute plus subtilement que ne le feraient leurs confrères cépages. «Mais c'est splendide que ce truc!», m'avait d'ailleurs fait remarquer le sommelier d'un restaurant parisien prestigieux à qui j'avais fait déguster le produit à l'aveugle. Avec raison. Vingt-quatre mois de fût assurent ici d'abord une robe or-roux de belle brillance, ensuite un nez net, précis, d'une intensité peu commune, enfin une bouche ronde et moelleuse, mais aussi contrastée avec panache, avec une interminable finale épicée. Une bombe! **MT** ★★★☆

POMMES SPARTAN EMPIRE

Vous avez aimé ce cidre? Vous pourriez aimer aussi
Antolino Brongo Cryomalus 2010, Domaine Antolino Brongo, Québec 29,90$ les 375 ml – 11002626 – ★★★☆

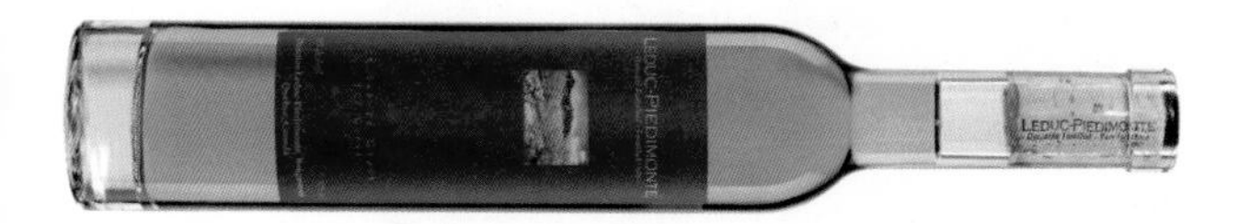

Château Rabaud-Promis Promesse de Rabaud-Promis 2011

CHÂTEAU RABAUD-PROMIS

France, Bordeaux

CODE SAQ 11818318

33,50 $

On ne reviendra pas sur la désaffectation généralisée des glorieux vins doux de cette appellation. Seraient-ils à ce point obsolètes ? La douceur, pourtant, n'a jamais fait de mal à personne, que je sache ! Maintenant, savoir à quel moment, contexte ou occasion servir cette douceur ne devrait pas poser de problème, si on a un peu d'imagination, mais surtout si on a une envie de procrastiner, de flâner, d'être tout simplement oisif en étirant le temps. Car il faut cultiver ce *slow mood* où *slow wine* et *slow food* se rejoignent pour mieux cultiver ce petit superflu qui fait du bien. À ce chapitre, cette « Promesse » est tenue. La robe or-vert brillante et soutenue s'ouvre sur des notes de miel, de céleri frais, de citron confit, alors que la bouche, moelleuse sans être liquoreuse, affiche une fraîcheur et une touche finement épicée livrée par l'élevage. Un apéro idéal avec des toasts de mousse de foie de canard ou de volaille.
MT ★ ★ ★

CÉPAGES SÉMILLON, SAUVIGNON BLANC

Vous avez aimé ce vin ? Vous pourriez aimer aussi
Château Lafaurie-Peyraguey 2006, Château Lafaurie-Peyraguey SAS, France 69 $ – 10839985 – ★★★☆

Mas Amiel Vintage Maury 2012

MAS AMIEL

France, Languedoc-Roussillon

CODE SAQ 11544151

34,50$

Au pays du grenache noir, les Maury sont rois. C'est tout de même mieux, mais surtout plus politiquement correct, que de dire «Au pays des borgnes, les dégustations à l'aveugle font loi». Mais je m'égare. Maury donc, grenache aussi : deux entités, une même volonté. Celle d'un épanouissement commun, en sols arides et hautement minéraux sous un soleil de plomb. Une tradition aussi, comme à Porto : celle de muter les meilleures eaux-de-vie sur marc puis de diriger le tout en gros fûts, en foudres ou en bonbonnes de verre (dames-jeannes). Oxydatif ou réductif? C'est là que se décide la version «vintage» ou «tawny». Ici, l'équipe d'Olivier Decelle (voir aussi le superbe Château Jean-Faure, à Bordeaux, Saint-Émilion) s'emploie à saisir le fruit, rien que le fruit, en lui octroyant rapidement une patine sous verre. L'expression est nette, juteuse, florale, avec côté bouche une texture serrée mais fraîche, lisse comme un chocolat noir qu'on vient à peine de saupoudrer de cacao. L'accord avec ce dernier est d'ailleurs... mieux que miam ! **MT** ★★★☆

CÉPAGES GRENACHE, SYRAH, MOURVÈDRE

Vous avez aimé ce vin ? Vous pourriez aimer aussi
Domaine Pouderoux Maury 2012, Domaine Poudreroux, France 27,20$ – 10811018 – ★★★

Messias Colheita 1995

DOS VINHOS MESSIAS

Portugal, Porto

CODE SAQ 00334771

40,25 $

Plus je goûte des portos et plus je suis saisi par le discours prolixe qu'offre un tawny. Comme s'il planait ici le souvenir de ses longues années à réfléchir sous bois, parmi d'autres *botti* pleines et rebondies, dans le silence monacal des chais. Un discours évocateur qui capte et traduit pour nous, sous des décennies constructives de silence, des maillons d'histoire remontant jusqu'au marquis de Pombal lui-même. En un mot : le tawny est un livre d'histoire en soi ! Chez Messias, on libère le vin muté du fût après 18 années de bons et loyaux services. Le véritable ambassadeur du Douro épate la galerie à un prix tout à fait raisonnable. Que vaudrait d'ailleurs un grand cru de Bordeaux de près de 20 ans d'âge aujourd'hui ? La robe roux foncé brille, les parfums fins et capiteux s'entichent de nuances de brou de noix, de caramel salé, de cèdre et de gingembre, alors que la bouche, fine et stylisée, s'étire, s'étire en finale… Servir à peine rafraîchi. ★★★★

CÉPAGES TOURIGA NACIONAL, TOURIGA FRANCA, TINTA RORIZ

Vous avez aimé ce vin ? Vous pourriez aimer aussi
Martinez Tawny 10 ans, Symington Family Estates Vinhos, Portugal 36,50 $ – 00297127 – ★★★☆

Feist Colheita 1989

H. ET C. J. FEIST VINHOS
Portugal, Porto
CODE SAQ 00884080

56,25$

Alors là, il faut se caler dans un profond fauteuil en cuir entre des bras moelleux, car ce qu'il y a à déguster dans ce grand vin impressionne. Pure méditation qu'un quart de siècle à se frotter aux douelles des fûts et à égrener le temps renforce et ennoblit. Encore une fois, et je le souligne, c'est une véritable aubaine à ce prix ! Ce 1989 subjugue d'autant plus qu'il offre encore à ce jour une vigueur, une intensité, une puissance et un feu sous les braises qui restent bien présents. La robe vive et riche vire sur l'acajou et la noix de pécan, et le nez, net et intense lui aussi, captive par ses notes de tire-éponge, de cari, de raisins confits et de tire d'érable. Toutefois, ce qui frappe avant tout est cet équilibre plus qu'enviable entre acidité, alcool et bois, ce satiné de bouche vivace qui chatouille les papilles en profondeur. Du grand porto ! ★★★★

CÉPAGES TOURIGA NACIONAL, TOURIGA FRANCA, TINTA RORIZ

Vous avez aimé ce vin ? Vous pourriez aimer aussi
Barros Colheita 1996, Sogevinus Fine Wines, Portugal 43,50$ – 00618348 – ★★★½

D'AUTRES BONS CHOIX

Apéros

Intermiel Benoîte, hydromel, INTERMIEL, Québec 13,25 $ – 00475103 – ★★☆

Amontillado Extremadura, montilla-moriles, ALVEAR, Espagne 14,25 $ – 11785616 – ★★★

Capataz Fino, MONTILLA-MORILES, Alvear, Espagne 14,35 $ – 00884833 – ★★★

Florio Vecchioflorio 2011, marsala, DUCA DI SALAPARUTA, Italie 15,00 $ – 00067199 – ★★★

L'Aperidor, Le Mistelle de l'Orpailleur, mistelle de raisin, VIGNOBLE DE L'ORPAILLEUR, Québec 16,15 $ les 500 ml – 00734533 – ★★★

Le Coq d'Or, Pineau des charentes, HARDY COGNAC, France 16,70 $ – 00024208 – ★★☆

Poiré de glace 2013, ENTRE PIERRE ET TERRE, Québec 18,90 $ – 12263043 – ★★★☆

Cuvée de la Diable, hydromel, FERME APICOLE DESROCHERS, Québec 19,95 $ – 10291008 – ★★★★

Château de Beaulon Ruby 5 ans, Pineau des Charentes, CHRISTIAN THOMAS, France 20,40 $ – 00884247 – ★★★

Château du Tariquet, Floc de Gascogne, CHÂTEAU DU TARIQUET, France 22,45 $ – 00966598 – ★★★

Cidre de glace 2012, ENTRE PIERRE ET TERRE, Québec, 23,90 $ – 12120552 – ★★★☆

Cidre de glace 2011, UNION LIBRE, Québec 24,95 $ les 375 ml – 11833681 – ★★★☆

Poiré Granit, poiré mousseux, ERIC BORDELET, France 25,20 $ – 10888429 – ★★★★

Moelleux

Late Harvest 2010, vin de dessert, VINA LUIS FELIPE EDWARDS, Chili 13,10 $ – 11904460 – ★★★☆

Errazuriz Late Harvest Sauvignon Blanc 2013, vin de dessert,
VIÑA ERRAZURIZ, Chili,
14,65$ les 375ml
– 00519850 – ★★✫

Domaine Valcros Hors d'Âge, banyuls,
DOMAINE DE VALCROS,
France, 15,00 $
– 00855056 – ★★★✫

Novembre Vendange Tardive 2012, vin de dessert, VIGNOBLE DE LA BAUGE, Québec,
17,45 $ les 375 ml
– 10853189 – ★★★

Uroulat 2012, vin de dessert, CHARLES HOURS, France, 18,10$ les 375ml
– 00709261 – ★★★

Bagatelle 2010 Henry Simon, muscat de Saint-Jean de Minervois,
CLOS BAGATELLE, France,
18,45 $ – 00733246 – ★★★✫

Château d'Aydie 2009, vin de dessert,
VIGNOBLES LAPLACE, France,
19,10$ les 500ml – 00857193 –
★★★✫

Symphonie de Novembre 2011, vin de dessert,
DOMAINE CAUHAPÉ,
France, 19,25 $
– 10257483 – ★★★✫

Domaine Madeloc Robert Pagès, banyuls,
PIERRE GAILLARD, France
19,35 $ les 500 ml
– 11544409 – ★★★✫

Mas Amiel Vintage Maury 2011, MAS AMIEL, France, 20,15 $ les 375 ml
– 00733808 – ★★★✫

Laffitte-Teston 2012 Rêves d'Automne, vin de dessert,
CHÂTEAU LAFFITTE-TESTON,
France 20,25 $ les 500ml
– 10779855 – ★★★✫

Solera 1847 Oloroso Dulce, xérès,
GONZALEZ BYASS, Espagne,
20,80$ – 12486124 – ★★✫

Château Bouscassé Vendemiaire 2008,
ALAIN BRUMONT, France,
21,55$ les 500ml
– 00702134 – ★★★✫

Domaine de la Rectorie Cuvée Parcé Frères 2011, banyuls, DOMAINE DE LA RECTORIE, France,
21,80 $ les 500 ml
– 10322661 — ★★★★

Château La Croix Poul-vère 2010, vin de dessert,
CAVE DE MONBAZILLAC,
France,
23,00 $ – 00850818 – ★★★

Passito di Pantelleria 2013, vin de dessert, CARLO PELLEGRINO, Italie, 23,45 $ – 00742254 – ★★★

Petit Guiraud 2010, sauternes, SCA DU CHÂTEAU GUIRAUD, France, 23,80 $ les 375 ml – 11651642 – ★★★☆

Château Jolys Cuvée Jean 2012, vin de dessert, DOMAINES LATRILLE, France, 23,90 $ – 00913970 – ★★★☆

Domaine du Noble 2012, vin de dessert, DEJEAN PÈRE ET FILS, France, 26,60 $ – 00968511 – ★★★

Domaine Pouderoux 2012, maury, DOMAINE POUDEROUX, France, 27,20$ – 10811018 – ★★★

Clos Saragnat Avalanche 2011, cidre de glace, EXPLORAGE, Québec, 27,40 $ – 11133221 – ★★★★

Cryomalus 2010, cidre de glace, DOMAINE ANTOLINO BRONGO, Québec, 29,90$ les 375ml – 11002626 – ★★★☆

Ben Ryé 2011, vin de dessert, DONNAFUGATA, Italie, 32,00$ les 375ml – 11301482 – ★★★★

P.X. Gonzalez Byass, xérès, GONZALES BYASS, Espagne, 33,25 $ les 375ml – 00744185 – ★★★★

Sortilège, liqueur de whisky canadien et de sirop d'érable, MONDIA ALLIANCE, Québec, 33,25$ – 00522482 – ★★★

Château Lamothe 2009, sauternes, DESPUJOLS, France, 37,25$ les 500ml – 00890798 – ★★★☆

Pomino Vin Santo 2006, vin de dessert, MARCHESI DE FRESCOBALDI, Italie, 38,25$ les 500ml – 11013325 – ★★★☆

Moulin Touchais 2007, vin de dessert, VIGNOBLES TOUCHAIS, France, 44,75$ – 11177418 – ★★★☆

Château Bastord Lamontagne 2009, sauternes, VIGNOBLES DE BASTOR ET SAINT-ROBERT, France, 46,25 $ – 11131444 – ★★★☆

Mas Amiel Prestige 15 ans d'âge, maury, MAS AMIEL, France, 46,75$ – 00884312 – ★★★★

Riesling Ziraldo 2007, vin de glace, ZIRALDO ESTATE WINERY, Canada, 60,75$ les 375ml – 11343594 – ★★★☆

Château Climens 2006, vin de dessert, CHÂTEAU CLIMENS, France, 159,00$ – 11266390 – ★★★★☆

Portos blancs

Cabral Branco Fino, VALLEGRE VINHOS DO PORTO, **Portugal, 8,70 $** – 00587824 – ★★✯

Quinta do Infantado, QUINTA DO INFANTADO, **Portugal, 16,40 $** – 00884437 – ★★★

Warre's Symington Family Estates, WARRE & CA., **Portugal, 19,50 $** – 00925461 – ★★★

Offley Cachucha Reserve, SOGRAPE VINHOS, **Portugal, 19,85 $** – 00582064 – ★★★✯

Porto rosé

Poças Pink, MANOEL D. POÇAS JUNIOR VINHOS, **Portugal, 20,00 $** – 11305299 – ★★★

Portos tawnys

Cabral Colheita 2000, VALLEGRE VINHOS DO PORTO, **Portugal, 15,55 $** – 11790870 – ★★★

Ferreira Dona Antonia Tawny, SOGRAPE VINHOS, **Portugal, 20,35 $** – 00865311 – ★★★

Niepoort Colheita 2001, NIEPOORT, **Portugal, 25,70 $ les 375 ml** – 11791821 – ★★★✯

Noval Black, QUINTA DO NOVAL VINHOS, **Portugal, 26,80 $** – 11557576 – ★★★

Poças Junior Vintage 2009, MANOEL D. POÇAS JUNIOR VINHOS, **Portugal, 28,10 $ les 375 ml** – 11966345 – ★★★✯

Taylor Fladgate 10 ans, TAYLOR FLADGATE & YEATMAN VINHOS, **Portugal, 33,75 $** – 00121749 – ★★★✯

Barros Colheita 2001, BARROS ALMEIDA VINHOS, **Portugal, 35,00 $** – 00882894 –

Messias Colheita 2000, DOS VINHOS MESSIAS, **Portugal, 40,25 $** – 00334771 – ★★★✯

Otima Tawny 20 ans SYMINGTON FAMILY ESTATES, **Portugal, 40,75 $ les 500 ml** – 10667360 – ★★★✯

Quinta da Ervamoira Tawny 10 ans, ADRIANO RAMOS PINTO VINHOS, **Portugal, 42,25 $** – 00133751 – ★★★✯

Taylor Fladgate Tawny 20 ans, TAYLOR FLADGATE & YEATMAN VINHOS, **Portugal, 69,75 $** – 149047 – ★★★★

Quinta Bom Retiro Tawny 20 ans, ADRIANO RAMOS PINTO VINHOS, **Portugal, 82,00 $** – 00133769 – ★★★★

Portos rouges

Dow's Late Bottle Vintage 2009, SYMINGTON FAMILY ESTATES VINHOS, **Portugal, 12,95 $ les 375 ml** – 00565564 – ★★★

Offley 2011 Late Bottled Vintage, SOGRAPE VINHOS, **Portugal, 19,95 $** – 00483024 – ★★★

Quinta do Noval Unfiltred LBV 2008, QUINTA DO NOVAL VINHOS, **Portugal, 26,65 $** – 00734657 – ★★★✯

Sandeman Vau Vintage 1999, SOGRAPE VINHOS, **Portugal, 26,65 $** – 11573162 – ★★★

Quinta do Infantado Reserva, QUINTA DO INFANTADO VINHOS, **Portugal, 28,40 $** – 11581787 – ★★★✯

Quinta do Infantado LBV 2009, QUINTA DO INFANTADO VINHOS, **Portugal, 33,00 $** – 00884361 – ★★★★

Smith Woodhouse Late Bottled Vintage 2002, SYMINGTON FAMILY ESTATES VINHOS, **Portugal, 35,75 $** – 00743781 – ★★★✯

Warre's Vintage 2011, SYMINGTON FAMILY ESTATES, **Portugal, 43,25 $ les 375 ml** – 11220535 – ★★★✯

Quinta do Tedo Vintage 2000, VINCENT BOUCHARD, **Portugal, 75,00 $** – 00728857 – ★★★★

Dow's Vintage 1991, SYMINGTON FAMILY ESTATES, **Portugal, 83,25 $** – 10320526 – ★★★✯

Cockburn's Vintage 2000, COCKBURN SMITHES, **Portugal, 107,25 $** – 00709048 – ★★★★

Croft Vintage 2011, CROFT PORT VINHOS, **Portugal, 119,75 $** – 12274826 – ★★★★

Fonseca Vintage 2000, FONSECA GUIMARAENS VINHOS, **Portugal, 120,50 $** – 00708990 – ★★★★

Sandeman Vau Vintage 2000, SOGRAPE VINHOS, **Portugal, 127,00 $ le 1,5 litre** – 00850784 – ★★★★

Warre's Vintage 2000, WARRE, **Portugal, 165,50 $ les 1500 ml** – 00726760 – ★★★✯

LES SPIRITUEUX

Beaucoup de courrier de lecteurs cette année, avec un intérêt pour les malts écossais qui ne se dément pas.

Évidemment, comme je ne suis ni paresseux ni sectaire, j'ai mis la gomme avec une batterie de dégustations qui a fait monter mon indice d'alcoolémie de façon exponentielle, même en recrachant. Mais le jeu en valait la chandelle, même si je n'ai pas gratté une allumette pour l'allumer : imaginez la suite, un chroniqueur qui titube et prend feu !

WHISKY : LE FEU COUVE SOUS LE GRAIN ! De la même façon que tous les champagnes sont des mousseux, mais que tous les mousseux ne sont pas nécessairement des champagnes, les scotches sont des whiskies alors que tous les whiskies ne sont pas des scotches. Vous me suivez ? Compliquons un brin l'orthographe en soulignant que ces mêmes eaux-de-vie gagnent un « e » aux États-Unis et en Irlande pour donner « whiskey ». Qu'ils soient d'Irlande, d'Écosse, du Canada, du Japon ou des États-Unis, ces mêmes eaux-de-vie – *uisge beatha* en gaélique – sont toutes issues de la fermentation de grains, contrairement aux brandys (cognacs, armagnacs, etc.) qui proviennent du distillat du fruit (raisin). Deux styles, et deux ambiances.

Un amphitryon digne de ce nom proposera, en fin de repas, à ses invités de choisir entre ces deux types de distillats, évidemment différents, mais qui peuvent, selon le type ou l'élevage, confondre même l'amateur éclairé. Un Single Malt Balvenie 14 ans (119,00 $ – 11909965 – ★ ★ ★ ★) peut facilement s'apparenter à un bon cognac d'une douzaine d'années par son profil organoleptique. Alors, êtes-vous plus « grain » ou plus « fruit » ? Là est la question ! Comme pour les grands armagnacs et autres grandioses cognacs, les whiskies révèlent une extraordinaire palette de flaveurs, elles-mêmes adaptées aux circonstances de dégustation. Il existe ainsi des whiskies d'apéro et des whiskies de repas (la fameuse panse de brebis farcie à l'avoine écossaise !) tout comme d'autres épousent les volutes d'un grand havane au coin de la cheminée. Chacun son truc.

Si l'Amérique table avec bonheur sur ses bourbons et autres whiskies à base de maïs, de seigle, d'orge maltée ou de blé, l'Écosse, principalement avec ses single malts, se concentre exclusivement sur une eau d'une pureté exceptionnelle ainsi que sur de l'orge malté et des levures pour élaborer son whisky single malt. Ce dernier, produit d'une seule distillerie, doit être impérativement réalisé en Écosse pour porter le nom de scotch. L'âge mentionné sur la bouteille indique que le plus jeune des whiskies a au moins l'âge annoncé sur l'étiquette. Ainsi, un scotch de 10 ans reflète un vieillissement en fût d'au moins 10 années. Aux single malts issus d'une seule distillerie s'ajoutent le vatted malt (mariage de divers whiskies de malt provenant de plusieurs maisons), le grain whisky (distillation d'orge maltée et d'autres céréales), ou encore le blended whisky (assemblage de whiskies de malt et de grains de différentes régions d'Écosse) qui totalise à lui seul 95% des ventes de scotch. Le fameux Chivas Regal 12 ans (52,00$ – 00007617 – ★★★✫) en est l'exemple le plus frappant. Enfin, la mention «cask strenght» (brut de barrique) propose un distillat qui n'a pas été réduit avec de l'eau et dont le taux d'alcool est de 68,5%, alors que la majorité des whiskies vendus tendent vers un taux de 43% d'alcool par volume pour l'exportation. Laissez-vous apprivoiser par le foudroyant et intense single malt Ardbeg Uigeadail Islay (155,00$ les 700 ml – 11156318 – ★★★★) dont l'alcool vous réchauffera en profondeur sans pour autant y perdre sur le plan de la complexité. Du grand art!

COMMENT LE FABRIQUE-T-ON ? Plus simple qu'on ne le pense, mais encore faut-il avoir sous la main l'eau et les régions de production (Lowlands, Highlands, Orcades, Speyside, Campbelton ou Islay) qui vont imprimer un caractère distinct aux eaux-de-vie lors de l'élevage en fûts (de différentes provenances). Ajoutez la forme de l'alambic (*pot still*, *spirit* et *wash stills*) et vous introduisez une variable supplémentaire qui participera à la complexité du scotch. *Grosso modo*, tout se passe comme si vous élaboriez de la bière : d'abord le maltage de l'orge, puis le brassage, étape durant laquelle l'amidon soluble libère ses sucres, enfin la fermentation, durant laquelle vous obtenez une bière de malt (*wash*) titrant entre 6% et 8%. Là se termine le processus pour la bière, mais là aussi débute, par la distillation de ce *wash*, l'élaboration de ce qui sera un scotch. L'élevage en fût de chêne de différentes origines (xérès, porto, sauternes, etc.) complète alors l'affinage, offrant des styles parfois diamétralement opposés. Un Ardbeg 10 ans (94,75$ – 00560474 – ★★★★), un Talisker 10 ans (79$ – 00249680 – ★★★☆) ou un Isle of Jura Superstition (75,25$ – 10816927 – ★★★☆) seront fort différents, en raison de leur approche tranchante, à la fois iodée, tourbée et saline, des Highland Park 12 ans (79,75$ – 00204560 – ★★★☆) et autres Macallan Cask Strenght 10 ans (97$ – 10652555 – ★★★☆) aux profils plus riches, plus moelleux, plus enveloppés, plus « caramélisés ». C'est d'ailleurs ce qui fait toute la beauté de la chose !

Le hic, cependant, est que l'élite des malts écossais, qui constituent 10% de la production en volume, commande depuis quelques années des prix majorés de 30% à 50%, en raison d'une demande qui ne faiblit pas. Il en va de même quant aux mentions d'âge sur l'étiquette (se souvenir que l'âge inscrit correspond à la plus jeune des eaux-de-vie contenues dans la bouteille), qui se font rares, encore une fois en raison de la demande, certes, mais aussi pour ouvrir de nouvelles perspectives de dégustation. On joue maintenant sur des noms évocateurs (la série des Macallan en est un bon exemple) avec mention du logement vinaire qui a bercé longuement les malts (fûts ayant contenu du sauternes, du xérès, du bourbon, etc.). Histoire de prolonger intellectuellement le plaisir, voici quelques livres et un magazine sur le sujet :

- *Le Whisky Single Malt*,
  de Helen Arthur (Evergreen)

- *L'Art des Alcools à travers le monde*,
  de Gordon Brown (Hachette)

- *Le Rouge et Le Blanc*, n° 98
  (www.lerougeetleblanc.com)

COGNACS

Brillet Réserve Extra Grand Cru V.S.O.P. Petite Champagne

J. R. BRILLET

France

CODE SAQ 10685373

66,75$ les 700 ml

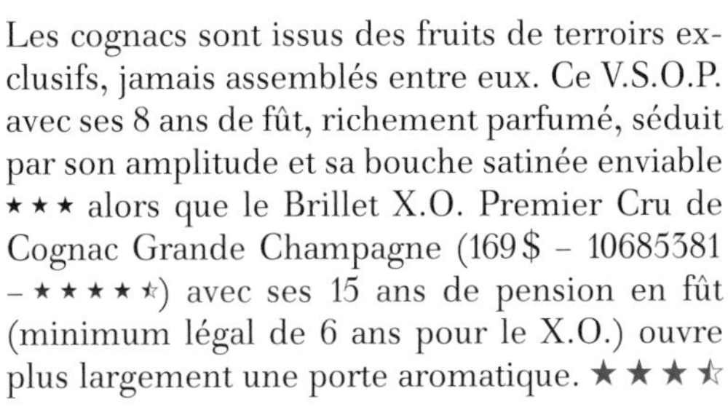

Les cognacs sont issus des fruits de terroirs exclusifs, jamais assemblés entre eux. Ce V.S.O.P. avec ses 8 ans de fût, richement parfumé, séduit par son amplitude et sa bouche satinée enviable ★★★ alors que le Brillet X.O. Premier Cru de Cognac Grande Champagne (169$ – 10685381 – ★★★★½) avec ses 15 ans de pension en fût (minimum légal de 6 ans pour le X.O.) ouvre plus largement une porte aromatique. ★★★½

3 380140 875094

Hennessy X.O.

JAS HENNESSY

France

CODE SAQ 11456863

289,50$

On aurait fait une eau (de vie) de parfum que j'aurais été le premier client. Mais je me contenterai de humer et de siroter ce cognac en multipliant les microgestes. Ce grand distillat de marc conçu par monsieur Hennessy en 1870 est d'une beauté absolue, surtout d'un agencement rare. Multidimensionnel, au nez comme en bouche, c'est surtout une harmonie calme qui règne ici. Longueur d'anthologie. Simplement grand. ★★★★★

0 088110 153052

Daron Calvados Fine

EAU-DE-VIE

PIERRE FERRAND

France

CODE SAQ 12056554

38,25$ les 700 ml

Je rêve du jour – pas si lointain – où il se réalisera chez nous des calva de cette envergure. Vodka et gin y sont déjà bien en place et nous avons les pommes, alors ? Tout le style Ferrand est là, dans ce beau calvados inspiré d'un distillat de poires (10 %) qui ventile et parfume l'ensemble. Du fruit, du volume, une pointe de tonicité et la caresse onctueuse conférée par le bois… je rêve. ★★★✯

Brecon Gin Botanicals

GINS

THE WELSH WHISKY COMPANY

Royaume-Uni/Angleterre

CODE SAQ 12514009

44,25$ les 700 ml

Le grain a été distillé 5 fois et le tout a été infusé d'une batterie d'herbes et d'épices qui s'élèvent et s'élèvent encore dans le verre comme au nez, telles des lucioles lancées en pleine nuit au cœur de l'été. Follement aromatique sans verser dans la bonbonnière, avec une bouche subtile et caressante, suave et satinée. Il serait dommage de le couper avec du soda tonique, car il se suffit à lui-même, servi frais, sans glaçons. ★★★✯

Chilgrove Dry Gin

CHILGROVE DRY GIN
Royaume-Uni/Angleterre
CODE SAQ 12529251

69,00$ les 700 ml

Pas de grain, mais du marc de raisin pour un distillat d'une personnalité qui s'impose au premier coup de nez, ce qui en fait tout le contraire du Brecon Botanicals cité également dans le guide cette année. Un gin altier et complexe qui n'a pas froid aux yeux, capable de satisfaire Sa Majesté comme sa belle-fille ; un gin bien sec, vivace et enquiquineur qui fera tourner la tête des mixologues, tant il ouvre de portes ! ★★★★

Rhum Plantation Guatemala Gran Anejo

PIERRE FERRAND
Guatemala
CODE SAQ 12555548

39,00$ les 700 ml

Est-ce diable possible de ne pas aimer le rhum ? C'est comme de manger des caramels et d'y dénicher, au centre, une goutte d'alcool épicé. Le plaisir de retomber en enfance ! Ici, à moins de 40 $, je flaire la bonne affaire ! Le nez est large et parfumé, ample et généreux, harmonieux avec des tonalités boisées. Un rhum élevé successivement sous les Tropiques et en Charentes pour plus de complexité. ★★★½

Glenfarclas 15 ans Highland Scotch Single Malt

GLENFARCLAS

Royaume-Uni/Écosse

CODE SAQ 00380717

88,35$ les 700 ml

Votre fortune personnelle ne vous permet pas l'achat de la version 60 ans à... 25 275$? Si vous aimez les whiskys puissants de caractère, versez alors dans le Glenfarclas 10 ans d'âge à 40 alc./vol. (*cask strenght*) à 59,50$ les 700 ml (10652512 – ★★★☆). Sinon optez pour ce superbe 15 ans, alliant puissance et velouté des textures, en plus d'une profondeur épicée par l'élevage qui le rapproche d'un grand cognac. ★★★★

Douglas Laing Scallywag Small Batch blended scotch whisky

DOUGLAS LAING

Royaume-Uni/Écosse

CODE SAQ 12470624

92,00$ les 700 ml

Visiblement, la somme des différents malts provenant de distilleries fort respectables telles que Macallan ou Glenrothes (entre autres) et réunis dans cet assemblage offre un profil plus complexe que les parties prises séparément. Tout en dégageant, en prime, une personnalité bien à elle. L'aspect tourbé, en retrait, laisse la place à la richesse épicée des bois de bourbon et de xérès sur une longue finale distinguée. ★★★★

Macallan 1824 Amber Scotch Single Malt

THE MACALLAN DISTILLERS

Royaume-Uni/Écosse

CODE SAQ 11975401

93,50$

Pas besoin d'aimer le scotch pour siroter ce Macallan. C'est lui qui vient vous chercher. Il le fait comme un ratoureux doté d'un charme fou, jouant avec les essences, les assemblages et les provenances de fûts pour styliser le goût unique qui est le sien. Fûts de xérès, ici, qui tempèrent la fougue et arrondissent la bouche, nuances florales et épicées (gingembre) sur une finale longue maintenue bien fraîche. ★★★★

Masterson's 12 ans Straight Wheat

35 MAPLE STREET

Canada

CODE SAQ 12256409

112,50$

Si le seigle distillé semble souvent rustique, le blé canadien, lui, élevé 12 ans en fût de chêne blanc, comme c'est le cas ici, se nuance de façon exceptionnelle. Mais attention ! L'animal a un tonus et une puissance qui méritent qu'on l'approche à pas feutrés, pour ne pas dire à gorge mesurée. Il est capiteux, mais intégré, épicé, moelleux, avec une remontée fine, ardente, presque incendiaire en finale. Sans toutefois se brûler. Superbe ! ★★★★

D'AUTRES BONS CHOIX

Armagnacs

Château du Tariquet Blanche Armagnac, CHÂTEAU DU TARIQUET, France 50,50$ les 700 ml – 11785501 – ★★★★

Château du Tariquet Bas Armagnac V.S.O.P., CHÂTEAU DU TARIQUET, France 51,50$ les 700 ml – 00574707 – ★★★½

Laubade Bas-Armagnac 1990, LAUBADE ET DOMAINES ASSOCIÉS, France 134,00$ – 10867687 – ★★★★½

Château Laballe Bas Armagnac 1983, FAMILLE LAUDET, France 140,00$ les 700 ml – 12040561 – ★★★★

Bourbons

Old Fitzgerald's 1849 Kentucky Biourbon, OLD FITZGERALD DISTILLERY, États-Unis 35,00$ – 11201473 – ★★★

Buffalo Trace Kentucky Bourbon, BUFFALO TRACE DISTILLERY, États-Unis 43,00$ – 10263891 – ★★★

Cognacs

Hardy V.S.O.P., HARDY COGNAC, France 61,50$ les 700 ml – 11092385 – ★★★

Hennessy V.S., JAMES HENNESSY, France 65,00$ – 00008284 – ★★★

Pierre Ferrand Réserve Premier Cru du Cognac Grande Champagne, PIERRE FERRAND, France 106,50$ les 700 ml – 11216704 – ★★★★

Courvoisier X.O., COURVOISIER, France 219,50$ – 11728259 – ★★★★

Rémy Martin Excellence X.O., RÉMY COINTREAU, France 249,75$ – 00583468 – ★★★★½

Eaux-de-vie de fruit

Louis Roque La Vieille Prune, DISTILLERIE LOUIS ROQUE, France 70,00$ les 700 ml – 11956198 – ★★★★½

Michel Beucher Vieux Calvados, MICHEL BEUCHER, France 75,00$ les 700 ml – 10976023 – ★★★★½

Daron X.O., PIERRE FERRAND, France 82,00$ les 700 ml – 11721663 – ★★★★

Gins

Citadelle, PIERRE FERRAND, **France 29,55$ les 700 ml** – 12039682 – ★★★

Piger Henricus, LES DISTILLATEURS SUBVERSIFS – LATITUDE 45, **Québec 30,25$ les 500 ml – 11950597** – ★★★

Ungava, DOMAINE PINNACLE, **Québec 35,25$** – 11156764 – ★★★

Hendrick's, WILLIAM GRANT & SONS DISTILLERS, **Royaume-Uni 46,25$** – 10254012 – ★★★✫

Uncle Val's Botanical, 35 MAPLE STREET, **États-Unis 59,50$** – 11953579 – ★★★✫

Grappa

Podere Castorani Jarno 2007, PODERE CASOTRANI, **Italie 60,25$ les 700 ml** – 11110889 – ★★★✫

Zymè Harlequin, ZYME DI CELESTINO GASPARI, **Italie 62,00$ les 500 ml** – 10976293 – ★★★★

Casanova di Neri Grappa di Brunello-di-Montalcino, AZIENDA AGRICOLA CASANOVA DI NERI, **Italie 63,25$ les 700 ml** – 11181505 – ★★★★

Tequilas

El Jimador 100 % Agave Reposado, CASA HERRADURA, **Mexique 34,00$** – 11133386 – ★★★✫

Alebrijes Blanco Premium, AUTENTICA TEQUILERA, **Mexique 49,75$** – 11869975 – ★★★✫

La Serpiente Emplumada Tequila Anejo, DESTILADORA DEL VALLE TEQUILA, **Mexique 51,25$** – 12468735 – ★★★★

Rhums

El Dorado Original Dark Superior Demerara, DEMERARA DISTILLERS, **Guyana 21,50$** – 10671617 – ★★✫

Appleton Estate V/X, J. WRAY & NEPHEW, **Jamaïque 26,75$** – 00177808 – ★★✫

Papagayo THE ORGANIC SPIRITS, **Paraguay 33,50$ les 700 ml** – 11156650 – ★★★✫

Flor de Cana Gran Reserva 7 ans, COMPANIA LICORERA DE NICARAGUA, **Nicaragua 33,75$** – 10904409 – ★★★

El Dorado 12 ans Demerara, DEMERARA DISTILLERS, Guyane **36,00$** – 10904652 – ★★★

Santa Teresa rhum brun Solera 1796, HACIENDA SANTA TERESA, Venezuela **54,50$** – 10748071 – ★★★★

Whiskies

Té Bheag un-chilfiltered Gaelic Scotch Blended, PRABAN NA LINNE, Écosse **39,50$ les 700 ml** – 00858209 – ★★★

Tullamore Dew 12 ans Special Reserve, TULLAMORE DEW, Irlande **51,00$** – 11202994 – ★★★

Glenfiddich 12 ans Highland Scotch Single Malt, WILLIAM GRANT & SONS, Écosse **52,25$** – 00012385 – ★★★

Glenfarclas 12 ans Highland Scotch Single Malt, GLENFARCLAS, Écosse **63,25$ les 700 ml** – 00349670 – ★★★✫

Amrut Indian Whisky Single Malt, AMRUT DISTILLERIES, Inde **64,00$ les 700 ml** – 11864269 – ★★★

Auchentoshan 12 ans Lowland Scotch Single Malt, AUCHENTOSHAN DISTILLERY, Écosse **64,75$** – 11156174 – ★★★★

Highland Park 10 ans Scotch Single Malt, HIGHLAND PARK DISTILLERY, Écosse **64,75$** – 12183019 – ★★★✫

Glenmorangie Original 10 ans Highland Scotch Single Malt, THE GLENMORANGIE DISTILLERY, Écosse **66,75$** – 11948868 – ★★★✫

Aberlour 12 ans Highland Scotch Single Malt, ABERLOUR GLENLIVET DISTILLERY, Écosse **67,50$** – 10866887 – ★★★✫

Laphroaig Quarter Cask Islay Scotch Single Malt, D. JOHNSTON, Écosse **72,50$** – 10999938 – ★★★★

BenRiach 12 ans Arumaticus Fumosus Singe Peated Malt, THE BENRIACH DISTILLERY Écosse **72,75$ les 700 ml** – 11092473 – ★★★✫

Macallan Gold Highland Scotch Single Malt, THE MACALLAN DISTILLERS, Écosse **74,75$** – 12051366 – ★★★✫

Johnnie Walker Double Black, JOHN WALKER & SONS, ÉCOSSE **75,25 $** – 12266922 – ★★★✬

Michel Couvreur Intravagan'za Single Malt, MICHEL COUVREUR, France **78,00 $ les 700 ml** – 11215381 – ★★★✬

Talisker 10 ans Isle of Skye Scotch Single Malt, TALISKER DISTILLERY, Écosse **79,00 $** – 00249680 – ★★★✬

The Glenlivet Nàdurra 16 ans Scotch Single Malt, THE GLENLIVET DISTILLERY, Écosse **83,50 $** – 11156203 – ★★★★

Big Peat Islay, Blended Malt Islay, DOUGLAS LAING, Écosse **85,75 $ les 700 ml** – 11310776 – ★★★★

Johnnie Walker 18 ans Gold Label Blended, JOHN WALKER & SONS, Écosse **86,50 $** – 11447449 – ★★★★

Scotch Single Malt, THE GLENDRONACH DISTILLERY, Écosse **89,00 $ les 700 ml** – 11543748 – ★★★★

Springbank 10 ans Campbeltown Scotch Single Malt, J. & A. MITCHELL, Écosse **92,50 $** – 11590261 – ★★★✬

Ardbeg 10 ans Islay Scotch Single Malt, ARDBEG DISTILLERY, Écosse **94,75 $** – 00560474 – ★★★★✬

Aberlour 16 ans, Highland Scotch Single Malt, ABERLOUR GLENLIVET DISTILLERY, Écosse **95,25 $** – 10812969 – ★★★★

Aberlour A'bunadh Speyside Scotch Single Malt, ABERLOUR GLENLIVET DISTILLERY, Écosse **95,50 $** – 00573352 – ★★★★

Glenrothes Speyside Scotch Single Malt, BERRY BROS. & RUDD SPIRITS, Écosse **96,25 $** – 10299405 – ★★★★

GlenDronach 15 ans Tawny Port Highland Scotch Single Malt, THE GLENDRONACH DISTILLERY, Écosse **97,00 $ les 700 ml** – 11823475 – ★★★★

Chivas Regal 18 ans Scotch Blended, CHIVAS BROTHERS, Écosse **97,50 $** – 00582205 – ★★★★

BenRiach 15 ans Tawny Port Finish Speyside Scotch Single Malt, THE BENRIACH DISTILLERY, **Écosse 100,00$ les 700 ml** – 11092457 – ★★★★

BenRiach 15 ans Dark Rum Finish Speyside Scotch Single Malt, THE BENRIACH DISTILLERY, **Écosse 100,00$ les 700 ml** – 11543676 – ★★★★

Glengoyne 17 ans Highland Scotch Single Malt, LANG BROTHERS, **Écosse 100,25$** – 00306233 – ★★★★☆

GlenDronach Revival 15 ans Highland Scotch Single Malt, THE GLENDRONACH DISTILLERY, **Écosse 100,25$** – 11367983 – ★★★★

BenRiach 16 ans Sauternes Finish Scotch Single Malt, THE BENRIACH DISTILLERY, **Écosse 105,00$ les 700 ml** – 12361575 – ★★★★☆

The Dalmore 15 ans Highland Scotch Single Malt, THE DALMORE DISTILLERY, **Écosse 113,50$** – 11368011 – ★★★★

Lagavulin 16 ans Islay Scotch Single Malt, LAGAVULIN DISTILLERY, **Écosse 113,75$** – 00207126 – ★★★★☆

BenRiach Horizons 12 ans Speyside Scotch Single Malt, THE BENRIACH DISTILLERY, **Écosse 117,25$ les 700 ml** – 11607924 – ★★★★

Hazelburn 12 ans Campbeltown Scotch Single Malt, SPRINGBANK DISTILLERY, **Écosse 127,00$ les 700 ml** – 11823483 – ★★★★

Springbank 15 ans Campbeltown Scotch Single Malt, J. & A. MITCHELL, **Écosse 147,00$** – 11590296 – ★★★★☆

GlenDronach 18 ans Allardice Highland Scotch Single Malt, THE GLENDRONACH DISTILLERY, **Écosse 155,00$** – 11484995 – ★★★★☆

Macallan Sienna Highland Scotch Single Malt, THE MACALLAN DISTILLERS, **Écosse 175,25$** – 12051420 – ★★★★

Glenfarclas 25 ans Highland Scotch Single Malt, GLENFARCLAS, **Écosse 175,50$ les 700 ml** – 00484261 – ★★★★

Highland Park 18 ans Scotch Single Malt, HIGHLAND PARK DISTILLERY, **Écosse 180,25$** – 10224286 – ★★★★☆

GlenDronach Parliament 21 ans Highland Scotch Single Malt, THE GLENDRONACH DISTILLERY, **Écosse 193,75$ les 700 ml** – 11823467 – ★★★★

Auchentoshan 21 ans Lowland Scotch Single Malt, MORRISON BOWMORE DISTILLERS, **Écosse 199,00$** – 00398776 – ★★★★☆

Springbank 18 ans Campbeltown Scotch Single Malt, J. & A. MITCHELL, **Écosse 200,00$ les 700 ml** – 11590309 – ★★★★★

Douglas Laing & Co Single Malt Allt-A-Bhainne 21 ans scotch, DOUGLAS LAING, **Écosse 214,00$ les 700 ml** – 12256741 – ★★★★

Macallan Ruby Highland, THE MACALLAN DISTILLERS, **Écosse 300,00$** – 12056520 – ★★★★

Vodkas

Kamouraska, KAMOURASKA VODKA, **Québec 20,30$** – 00090472 – ★★☆

Zubrowka CEDC, INTERNATIONAL, **Pologne 26,25$** – 00035840 – ★★★

Ketel One Citron, DISTILLERIE NOLET, **Pays-Bas 33,75$** – 10886010 – ★★★☆

M.A. Signature, M.A. SIGNATURE VODKA, **Québec 39,75$** – 11345645 – ★★★☆

INDEX

L'auteur et l'éditrice souhaitent bon vin
à toutes les personnes qui ont collaboré de près ou de loin
à la réalisation de ce Guide Aubry 2016.